교과서 사고력 GO!

GO! 매쓰

Run-A

교과서 사고력

수학 2-2

Go! 매쓰 Run 구성과 특징

1주차 교과 집중 학습

1 교과서 개념 완성

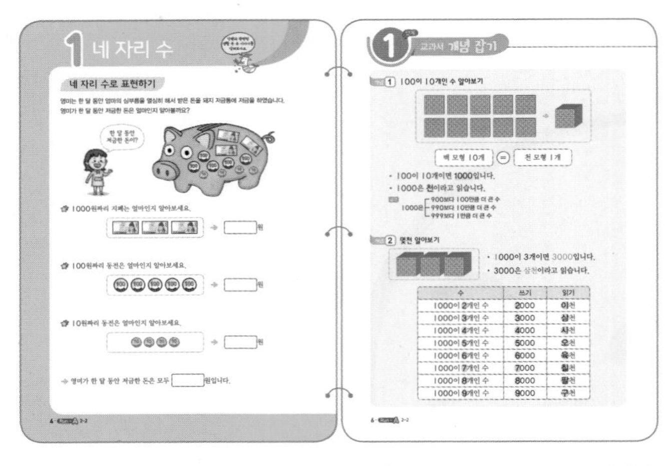

재미있는 수학 이야기로 단원에 대한 흥미를 높이고, 교과서 개념과 기본 문제를 학습합니다.

2 교과서 개념 PLAY

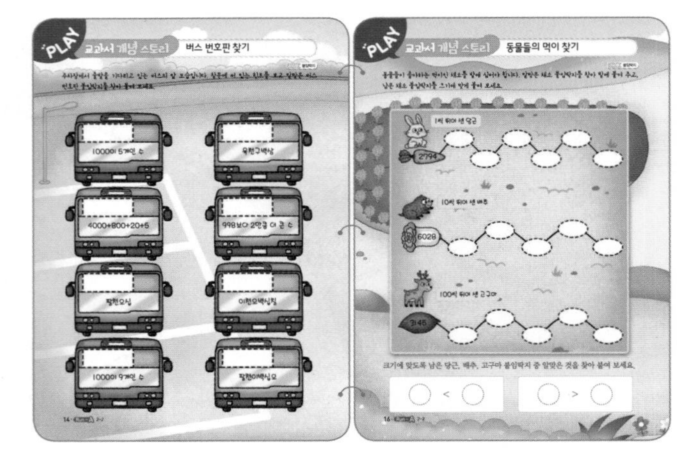

게임으로 개념을 학습하면서 집중력을 높여 쉽게 개념을 익히고 기본을 탄탄하게 만듭니다.

3 문제 풀이로 실력 & 자신감 UP!

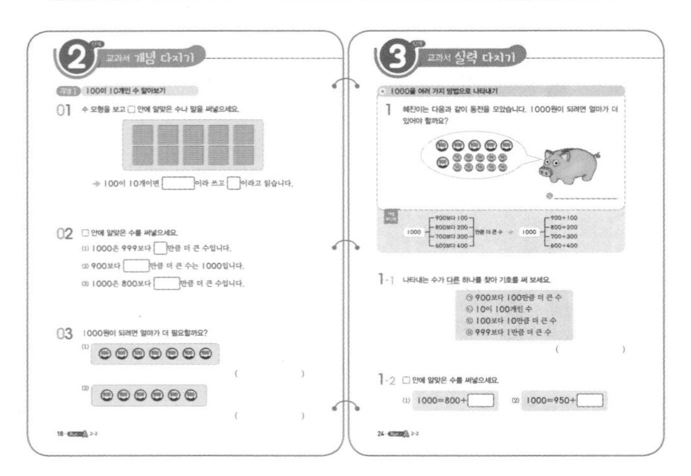

한 단계 더 나아간 교과서와 익힘 문제로 개념을 완성하고, 다양한 문제 유형으로 응용력을 키웁니다.

4 서술형 문제 풀이

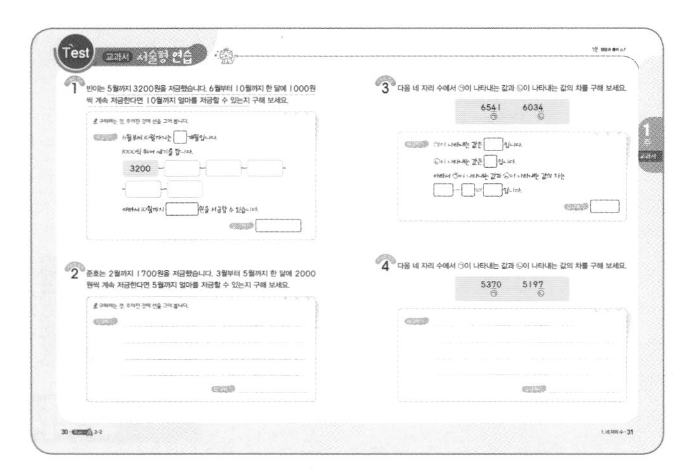

시험에 잘 나오는 서술형 문제 중심으로 단계별로 풀이하는 연습을 하여 서술하는 힘을 높여 줍니다.

교과 + 사고력

2주에 한 단원 완성!

2 주차 사고력 확장 학습

1 사고력 PLAY

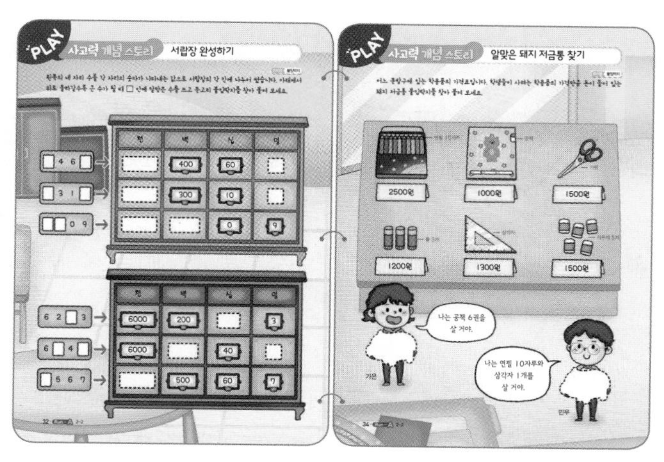

교과 심화 문제와 사고력 문제를 게임으로 쉽게 접근하여 어려운 문제에 대한 거부감을 낮추고 집중력을 높입니다.

2 교과 사고력 잡기

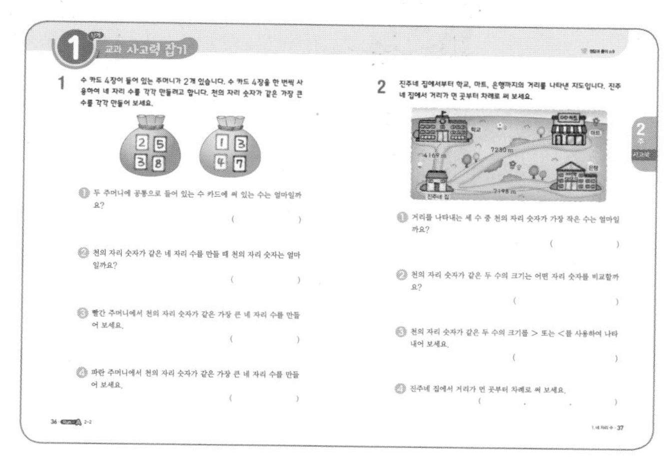

문제에 필요한 요소를 찾아 단계별로 해결하면서 문제 해결력을 키울 수 있는 힘을 기릅니다.

3 교과 사고력 확장+완성

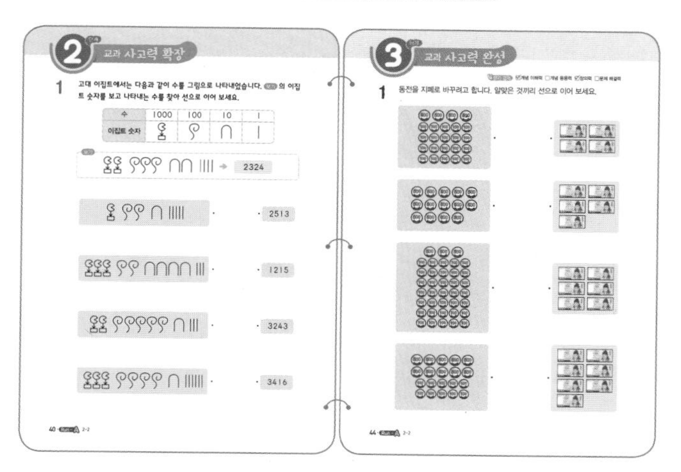

틀에서 벗어난 생각을 하여 문제를 해결하는 창의적 사고력을 기를 수 있는 힘을 기릅니다.

4 종합평가 / 특강

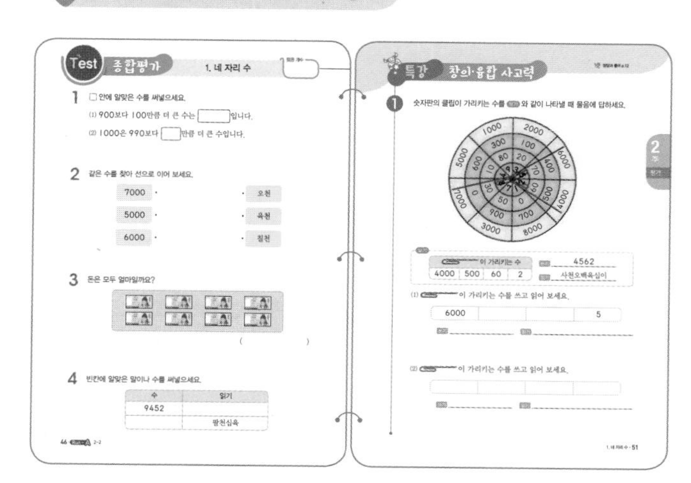

교과 학습과 사고력 학습을 얼마나 잘 이해하였는지 평가하여 배운 내용을 정리합니다.

1 네 자리 수

네 자리 수로 표현하기

영미는 한 달 동안 엄마의 심부름을 열심히 해서 받은 돈을 돼지 저금통에 저금을 하였습니다.
영미가 한 달 동안 저금한 돈은 얼마인지 알아볼까요?

☆ 1000원짜리 지폐는 얼마인지 알아보세요.

➔ □원

☆ 100원짜리 동전은 얼마인지 알아보세요.

➔ □원

☆ 10원짜리 동전은 얼마인지 알아보세요.

➔ □원

➔ 영미가 한 달 동안 저금한 돈은 모두 □원입니다.

과자의 가격과 같은 금액을 찾아 선으로 이어 보세요.

1500원

1320원

2000원

1410원

빈 곳에 수의 순서에 맞게 수를 써넣으세요.

951	952	953	954		956			959	
			964			967			970
971	972			976	977				980
981	982	983				987	988	989	
			994					999	1000

1단계 교과서 개념 잡기

개념 1 100이 10개인 수 알아보기

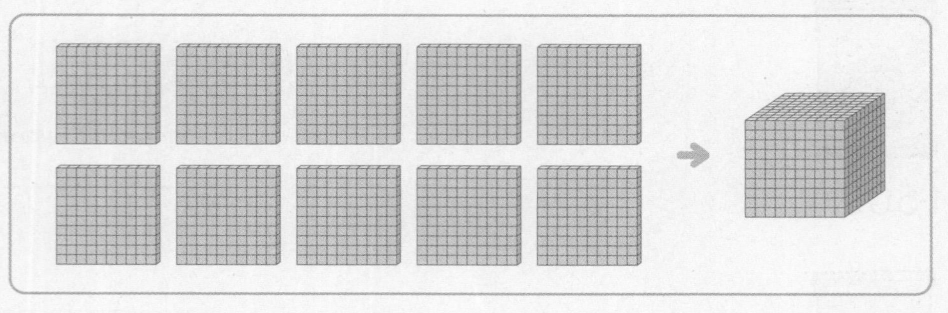

백 모형 10개 = 천 모형 1개

- 100이 10개이면 **1000**입니다.
- 1000은 **천**이라고 읽습니다.

참고
1000은
- 900보다 100만큼 더 큰 수
- 990보다 10만큼 더 큰 수
- 999보다 1만큼 더 큰 수

개념 2 몇천 알아보기

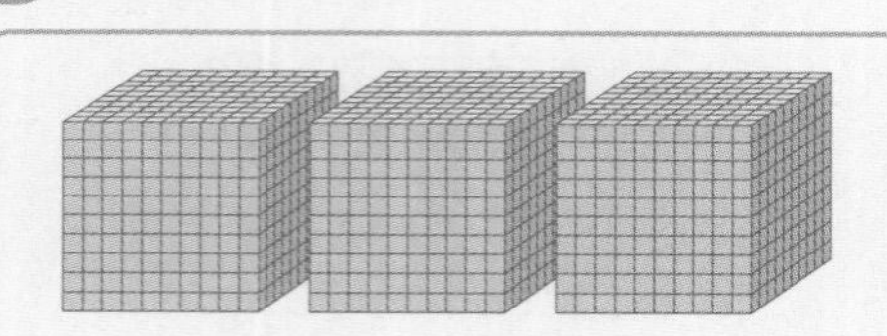

- 1000이 3개이면 3000입니다.
- 3000은 삼천이라고 읽습니다.

수	쓰기	읽기
1000이 2개인 수	2000	이천
1000이 3개인 수	3000	삼천
1000이 4개인 수	4000	사천
1000이 5개인 수	5000	오천
1000이 6개인 수	6000	육천
1000이 7개인 수	7000	칠천
1000이 8개인 수	8000	팔천
1000이 9개인 수	9000	구천

개념 확인 문제

정답과 풀이 p.1

1-1 □ 안에 알맞은 수를 써넣으세요.

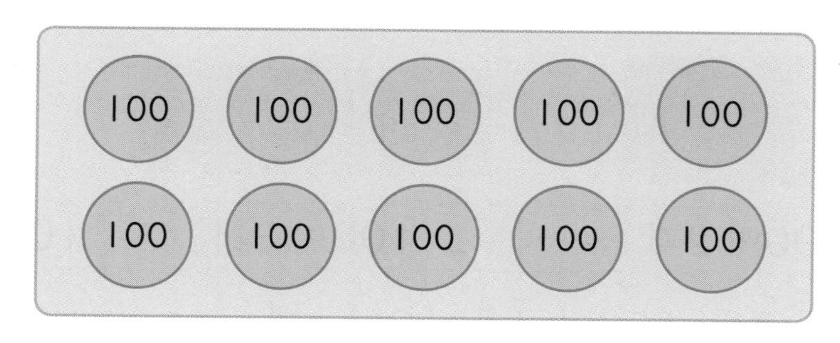

➔ 100이 □개이면 1000입니다.

1주 교과서

1-2 □ 안에 알맞은 수를 써넣으세요.

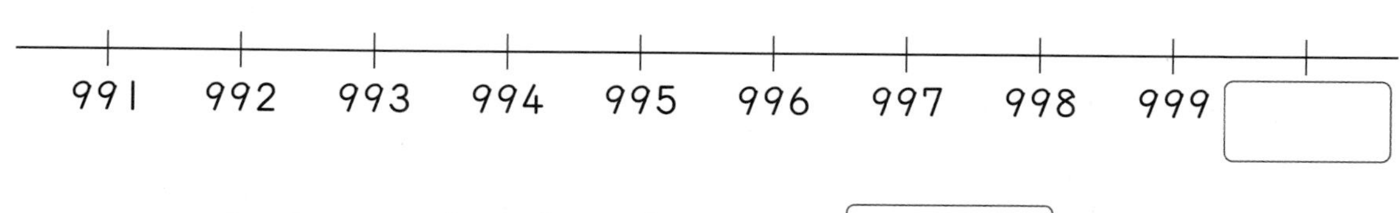

➔ 999보다 1만큼 더 큰 수는 □입니다.

2-1 다음을 수로 써 보세요.

(1) 이천

( )

(2) 팔천

( )

2-2 수 모형을 보고 □ 안에 알맞은 수나 말을 써넣으세요.

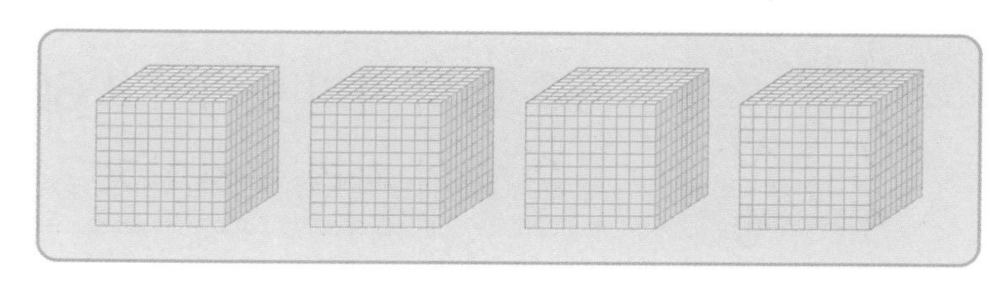

➔ 1000이 4개이면 □이고 □이라고 읽습니다.

1단계 교과서 개념 잡기

개념 3 네 자리 수 알아보기

1000이 2개	100이 3개	10이 1개	1이 8개

• 1000이 2개, 100이 3개, 10이 1개, 1이 8개이면 2318입니다.
2318은 이천삼백십팔이라고 읽습니다.

1000이 3개	100이 0개	10이 4개	1이 6개

• 1000이 3개, 100이 0개, 10이 4개, 1이 6개이면 3046입니다.
3046은 삼천사십육이라고 읽습니다.

참고 자리 숫자가 0이면 그 자리는 읽지 않습니다.

예 5306 → 오천삼백육　　1053 → 천오십삼
4190 → 사천백구십　　6080 → 육천팔십
3007 → 삼천칠　　2900 → 이천구백

개념 4 각 자리의 숫자는 얼마를 나타내는지 알아보기

• 3467에서 각 자리의 숫자가 나타내는 값 알아보기

천의 자리	백의 자리	십의 자리	일의 자리
3	4	6	7

3	0	0	0
	4	0	0
		6	0
			7

3은 천의 자리 숫자이고 3000을 나타냅니다.
4는 백의 자리 숫자이고 400을 나타냅니다.
6은 십의 자리 숫자이고 60을 나타냅니다.
7은 일의 자리 숫자이고 7을 나타냅니다.

$3467 = 3000 + 400 + 60 + 7$

3-1 수 모형이 나타내는 수를 쓰고 읽어 보세요.

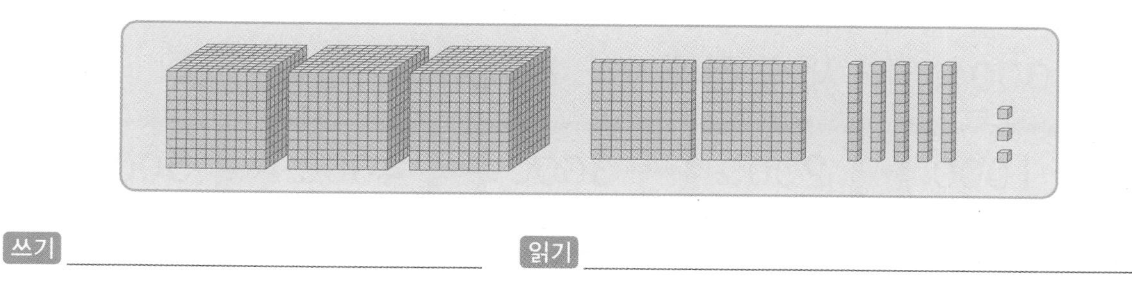

쓰기 ____________ 읽기 ____________

3-2 수를 쓰고 읽으려고 합니다. 빈칸에 알맞은 말이나 수를 써넣으세요.

	사천백팔
3951	

1069	
	칠천백이십오

3-3 □ 안에 알맞은 수를 써넣으세요.

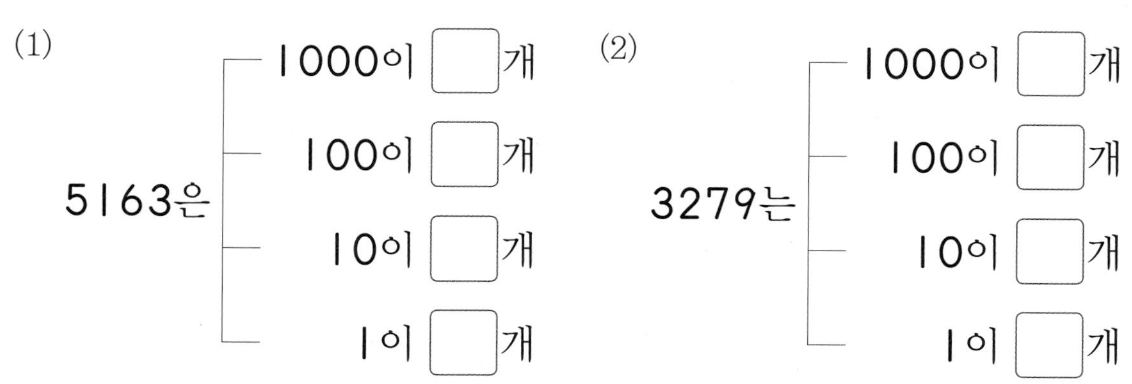

4 보기 와 같이 네 자리 수를 나타내어 보세요.

보기

$$2734=2000+700+30+4$$

8165 = ____________

개념 5 뛰어 세기

- 1000씩 뛰어 세기: 천의 자리 숫자가 1씩 커집니다.

1000 — 2000 — 3000 — 4000 — 5000 — 6000 — 7000 — 8000 — 9000

백, 십, 일의 자리 숫자는 변하지 않습니다.

- 100씩 뛰어 세기: 백의 자리 숫자가 1씩 커집니다.

3100 — 3200 — 3300 — 3400 — 3500 — 3600 — 3700 — 3800 — 3900

천, 십, 일의 자리 숫자는 변하지 않습니다.

- 10씩 뛰어 세기: 십의 자리 숫자가 1씩 커집니다.

5410 — 5420 — 5430 — 5440 — 5450 — 5460 — 5470 — 5480 — 5490

천, 백, 일의 자리 숫자는 변하지 않습니다.

- 1씩 뛰어 세기: 일의 자리 숫자가 1씩 커집니다.

2791 — 2792 — 2793 — 2794 — 2795 — 2796 — 2797 — 2798 — 2799

천, 백, 십의 자리 숫자는 변하지 않습니다.

5-1 1000씩 뛰어 세어 보세요.

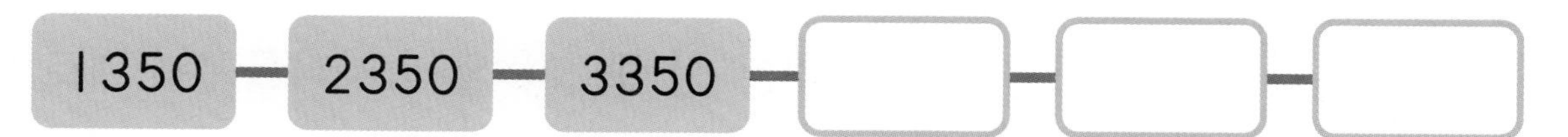

5-2 100씩 뛰어 세어 보세요.

9018 — ☐ — 9218 — ☐ — ☐ — 9518

5-3 10씩 뛰어 세어 보세요.

5610 — 5620 — ☐ — ☐ — 5650 — ☐

5-4 1씩 뛰어 세어 보세요.

8731 — 8732 — 8733 — ☐ — ☐ — ☐

5-5 몇씩 뛰어 세었는지 구해 보세요.

4216 — 4316 — 4416 — 4516 — 4616 — 4716

(　　　　　　　　)

개념 6 어느 수가 더 큰지 알아보기

• 네 자리 수의 크기를 비교할 때는 **천 백 십 일**의 자리를 순서대로 비교합니다.

① 천의 자리 숫자부터 비교합니다.
② 천의 자리 숫자가 같으면 백의 자리 숫자를 비교합니다.
③ 천, 백의 자리 숫자가 같으면 십의 자리 숫자를 비교합니다.
④ 천, 백, 십의 자리 숫자가 같으면 일의 자리 숫자를 비교합니다.

① 천의 자리 숫자부터 비교하고 **천의 자리 숫자가 큰 수가 더 큽니다.**

3578 < 5169
3<5

② 천의 자리 숫자가 같으면 **백의 자리 숫자가 큰 수가 더 큽니다.**

2413 > 2241
4>2

③ 천, 백의 자리 숫자가 같으면 **십의 자리 숫자가 큰 수가 더 큽니다.**

4150 > 4123
5>2

④ 천, 백, 십의 자리 숫자가 같으면 **일의 자리 숫자가 큰 수가 더 큽니다.**

1735 < 1738
5<8

정답과 풀이 p.3

6-1 수 모형이 나타낸 두 수의 크기를 비교하여 ○ 안에 > 또는 <를 알맞게 써넣으세요.

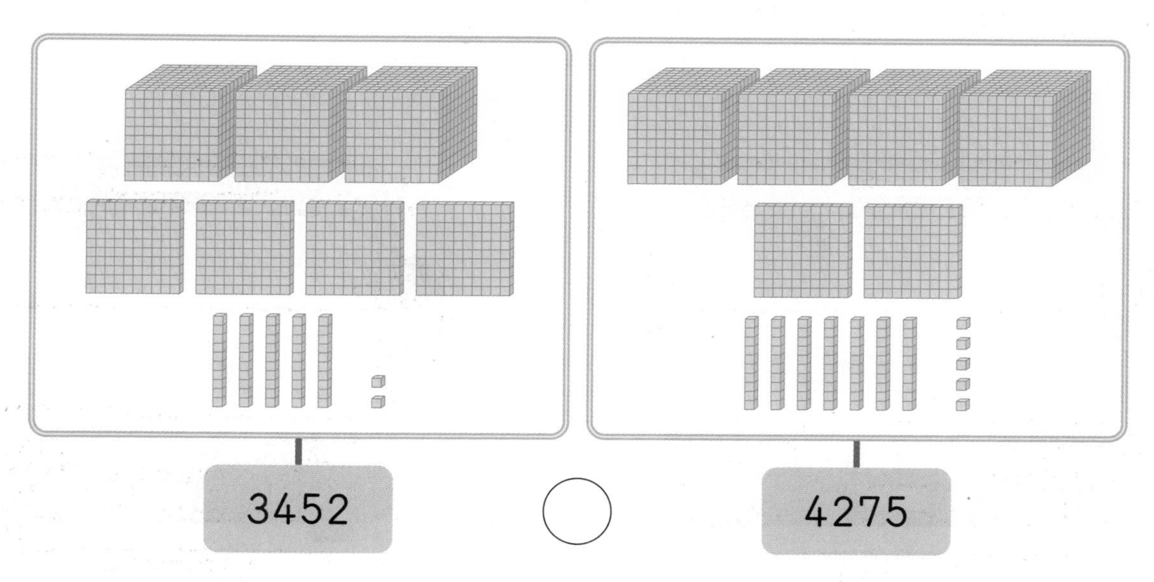

6-2 빈칸에 알맞은 수를 써넣고, 두 수의 크기를 비교하여 ○ 안에 > 또는 <를 알맞게 써넣으세요.

	천의 자리	백의 자리	십의 자리	일의 자리
4156	4	1	5	6
4319				

4156 ○ 4319

6-3 두 수의 크기를 비교하여 ○ 안에 > 또는 <를 알맞게 써넣으세요.

(1) 6273 ○ 6361　　(2) 4728 ○ 4710

(3) 5135 ○ 2497　　(4) 3120 ○ 3123

PLAY 교과서 개념 스토리

버스 번호판 찾기

준비물 붙임딱지

주차장에서 출발을 기다리고 있는 버스의 앞 모습입니다. 창문에 써 있는 힌트를 보고 알맞은 버스 번호판 붙임딱지를 찾아 붙여 보세요.

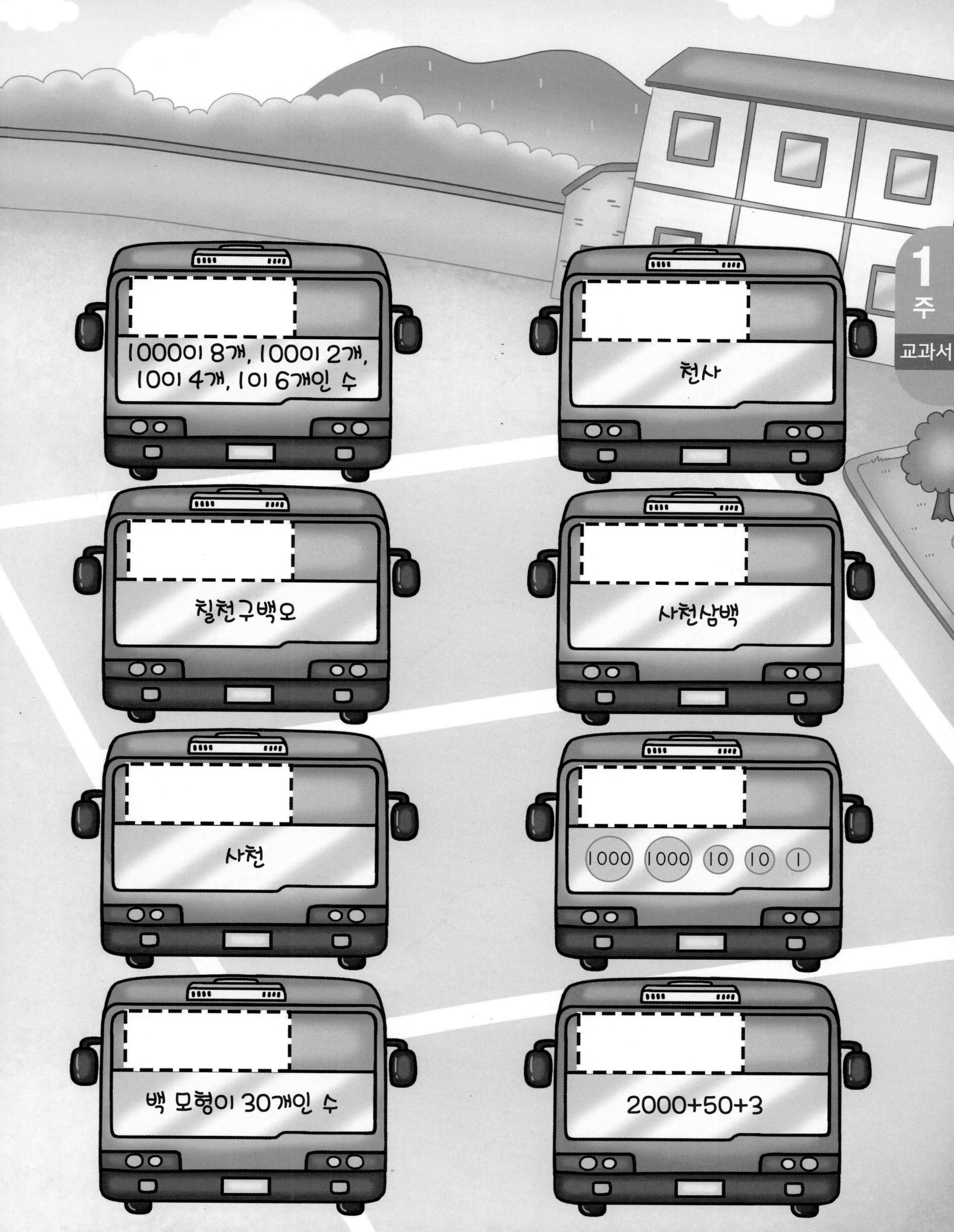
1주
교과서
1000이 8개, 100이 2개,
10이 4개, 1이 6개인 수
천사
칠천구백오
사천삼백
사천
1000 1000 10 10 1
백 모형이 30개인 수
2000+50+3

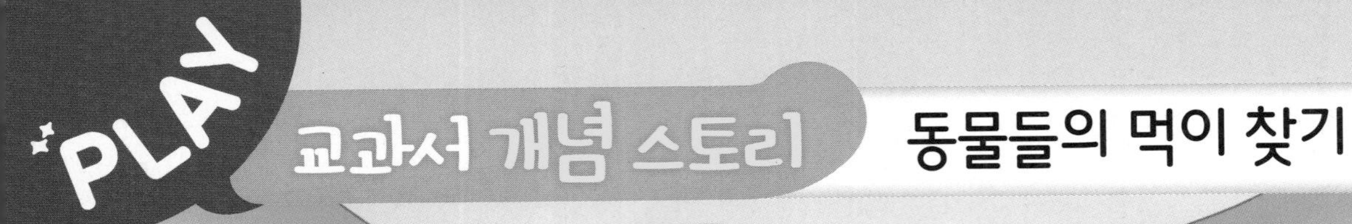

동물들의 먹이 찾기

준비물 붙임딱지

동물들이 좋아하는 먹이인 채소를 밭에 심어야 합니다. 알맞은 채소 붙임딱지를 찾아 밭에 붙여 주고, 남은 채소 붙임딱지를 크기에 맞게 붙여 보세요.

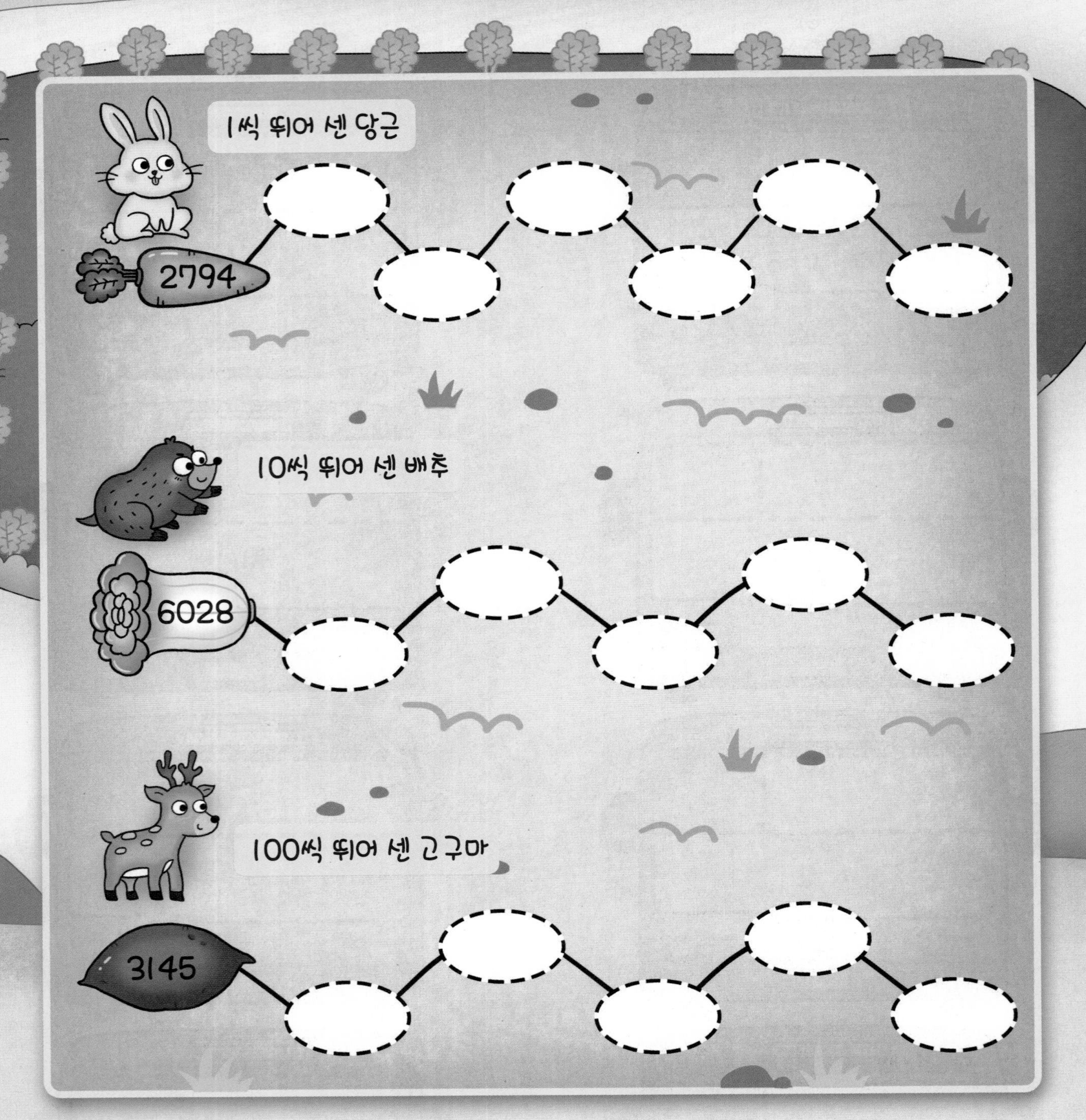

크기에 맞도록 남은 당근, 배추, 고구마 붙임딱지 중 알맞은 것을 찾아 붙여 보세요.

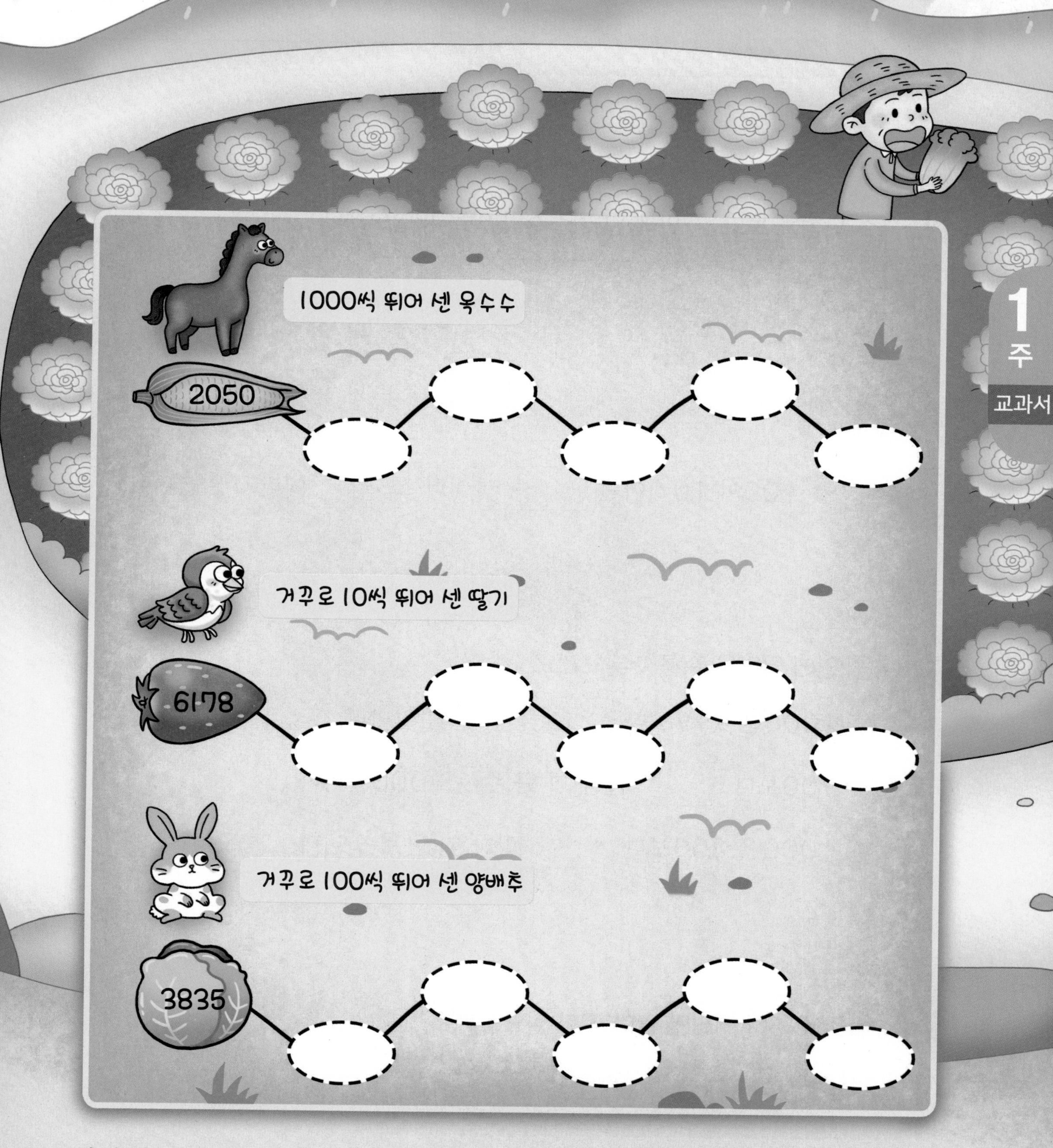

크기에 맞도록 남은 옥수수, 딸기, 양배추 붙임딱지 중 알맞은 것을 찾아 붙여 보세요.

2 단계 교과서 개념 다지기

개념 1 100이 10개인 수 알아보기

01 수 모형을 보고 □ 안에 알맞은 수나 말을 써넣으세요.

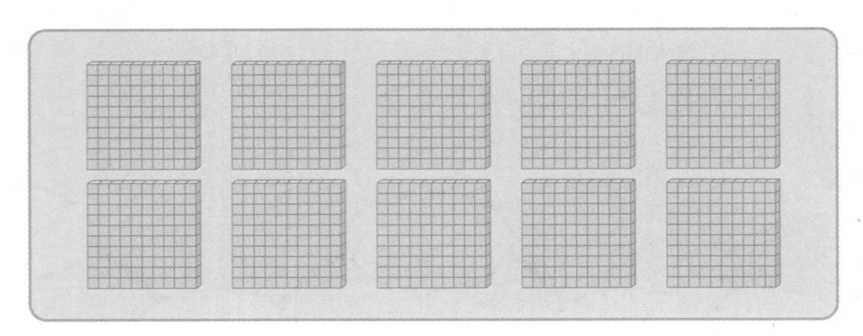

➜ 100이 10개이면 [ ]이라 쓰고 [ ]이라고 읽습니다.

02 □ 안에 알맞은 수를 써넣으세요.

(1) 1000은 999보다 [ ]만큼 더 큰 수입니다.

(2) 900보다 [ ]만큼 더 큰 수는 1000입니다.

(3) 1000은 800보다 [ ]만큼 더 큰 수입니다.

03 1000원이 되려면 얼마가 더 필요할까요?

(1) 100 100 100 100 100 100 100

( )

(2) 100 100 100 100 100 100

( )

개념 2 몇천 알아보기

04 그림이 나타내는 수를 쓰고 읽어 보세요.

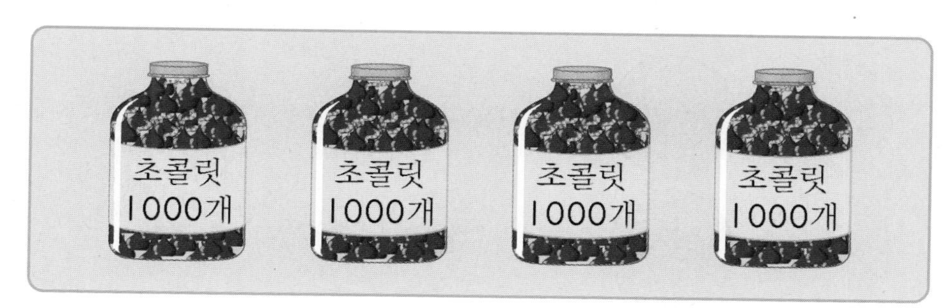

쓰기 ____________ 읽기 ____________

05 같은 수를 찾아 선으로 이어 보세요.

1000이 2개인 수 •	• 5000
1000이 5개인 수 •	• 2000
1000이 7개인 수 •	• 7000

06 다음 중 나타내는 수가 다른 하나를 찾아 기호를 써 보세요.

㉠ 1000이 6개인 수 ㉡ 6000
㉢ 600이 10개인 수 ㉣ 오천

( )

개념 3 **네 자리 수 알아보기**

07 그림이 나타내는 수를 쓰고 읽어 보세요.

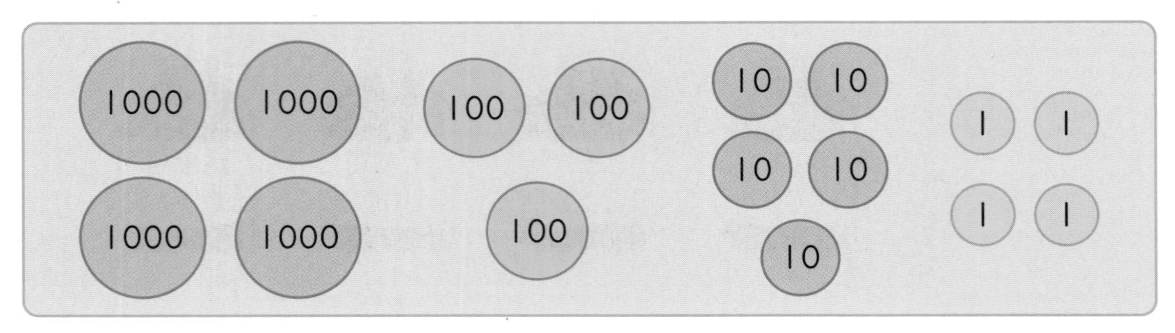

쓰기 ______________ 읽기 ______________

08 다음이 나타내는 수를 쓰고 읽어 보세요.

1000이 7개, 100이 5개, 10이 3개, 1이 9개인 수

쓰기 ______________ 읽기 ______________

09 5602를 바르게 읽은 사람은 누구일까요?

( )

개념 4 각 자리의 숫자가 나타내는 값 알아보기

10 왼쪽 네 자리 수의 각 자리 숫자와 나타내는 값을 빈칸에 써넣으세요.

3516 ➔

	숫자	나타내는 값
천의 자리	3	
백의 자리		
십의 자리		
일의 자리		

11 다음 수를 각 자리의 숫자가 나타내는 값의 합으로 쓰려고 합니다. □ 안에 알맞은 수를 써넣으세요.

(1) 8697=□+□+□+□

(2) 5023=□+□+□+□

12 숫자 6이 600을 나타내는 수를 찾아 써 보세요.

6130　　2675　　3162　　9156

(　　　　　)

개념 5 뛰어 세기

13 주어진 수만큼 뛰어 세어 보세요.

(1) 1000씩 뛰어 세기

4150 — 5150 — ☐ — ☐ — ☐

(2) 10씩 뛰어 세기

2650 — 2660 — ☐ — ☐ — ☐

14 뛰어 세어 보세요.

(1) 2316 — 2317 — 2318 — ☐ — ☐

(2) 5284 — 5384 — ☐ — 5584 — ☐

15 수 배열표에서 →, ↓는 각각 얼마씩 뛰어 센 것일까요?

2300	2400	2500	2600	2700
3300	3400	3500	3600	3700
4300	4400	4500	4600	4700
5300	5400	5500	5600	5700
6300	6400	6500	6600	6700

→ (　　　　　　), ↓ (　　　　　　)

개념 6 두 수의 크기 비교하기

16 두 수 중 더 큰 수에 ○표 하세요.

7024	6903
(　　　)	(　　　)

17 두 수의 크기를 비교하여 > 또는 <를 사용하여 나타내어 보세요.

5716	5347

(　　　　　　　　　　　　)

18 학생별로 저금통에 들어 있는 돈을 나타낸 것입니다. 물음에 답하세요.

(1) 저금통에 들어 있는 돈이 가장 많은 학생은 누구일까요?

(　　　　　　　)

(2) 저금통에 들어 있는 돈이 가장 적은 학생은 누구일까요?

(　　　　　　　)

3단계 교과서 실력 다지기

1000을 여러 가지 방법으로 나타내기

1 혜진이는 다음과 같이 동전을 모았습니다. 1000원이 되려면 얼마가 더 있어야 할까요?

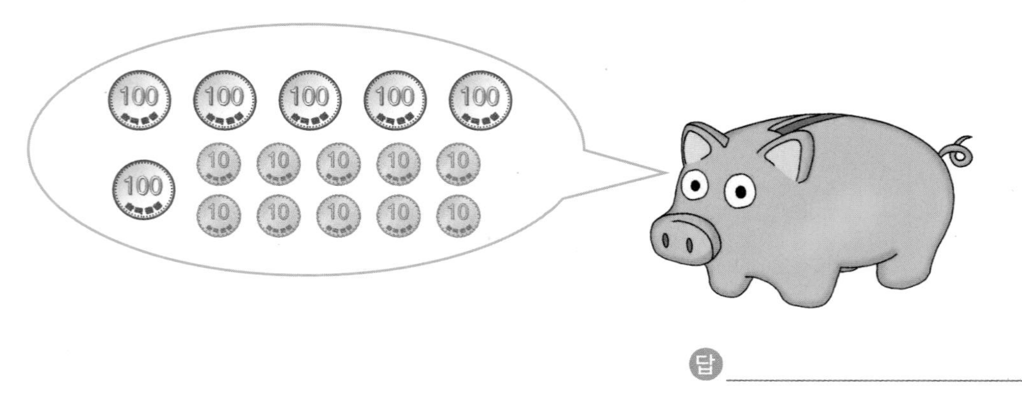

답 ____________

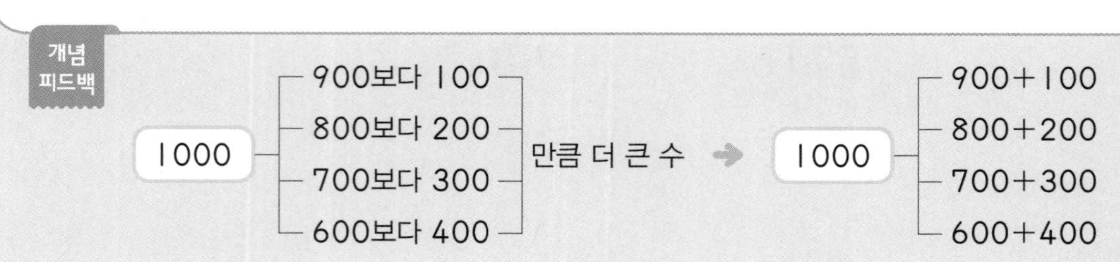

1-1 나타내는 수가 다른 하나를 찾아 기호를 써 보세요.

㉠ 900보다 100만큼 더 큰 수
㉡ 10이 100개인 수
㉢ 100보다 10만큼 더 큰 수
㉣ 999보다 1만큼 더 큰 수

(　　　　　　　)

1-2 □ 안에 알맞은 수를 써넣으세요.

(1) 1000=800+□　　(2) 1000=950+□

각 자리의 숫자가 나타내는 값 알아보기

2 숫자 5가 나타내는 값이 가장 큰 수를 찾아 써 보세요.

1528　　5067　　3259　　6175

답 ______________

개념 피드백

• 같은 숫자라도 어느 자리에 있느냐에 따라 수로 나타내는 값이 다릅니다.

3 3 3 3
- 천의 자리 숫자: 3000을 나타냅니다.
- 백의 자리 숫자: 300을 나타냅니다.
- 십의 자리 숫자: 30을 나타냅니다.
- 일의 자리 숫자: 3을 나타냅니다.

2-1 숫자 7이 나타내는 값이 가장 작은 수를 찾아 써 보세요.

7208　　1724　　3087　　2479

(　　　　　　　　)

2-2 ㉠이 나타내는 값과 ㉡이 나타내는 값의 합을 구해 보세요.

3128 (㉠: 1)　　5167 (㉡: 6)

(　　　　　　　　)

3단계 교과서 실력 다지기

★ 여러 수의 크기 비교하기

3 작은 수부터 차례로 써 보세요.

3209 2146 4080

답 ____________________

개념 피드백

• 네 자리 수의 크기 비교

천의 자리 숫자가 클수록 더 큰 수 → 백의 자리 숫자가 클수록 더 큰 수 → 십의 자리 숫자가 클수록 더 큰 수 → 일의 자리 숫자가 클수록 더 큰 수

3-1 가장 작은 수에 ○표 하세요.

4253	3912	5002
( )	( )	( )

3-2 가장 큰 수를 찾아 기호를 써 보세요.

㉠ 백 모형이 40개인 수
㉡ 오천십육
㉢ 1000이 4개, 100이 9개, 10이 8개, 1이 3개인 수

( )

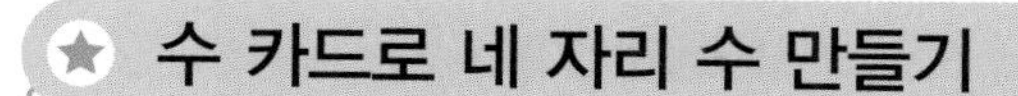

수 카드로 네 자리 수 만들기

4 수 카드 4장을 한 번씩 사용하여 가장 큰 네 자리 수를 만들어 보세요.

답 ____________________

개념 피드백
네 자리 수 ★■▲●에서 가장 큰 수가 되려면 ★>■>▲>●
네 자리 수 ★■▲●에서 가장 작은 수가 되려면 ★<■<▲<●

1주 교과서

4-1 수 카드 4장을 한 번씩 사용하여 네 자리 수를 만들려고 합니다. 가장 큰 수와 가장 작은 수를 각각 만들어 보세요.

가장 큰 수 (　　　　　　　　), 가장 작은 수 (　　　　　　　　)

4-2 수 카드 4장을 한 번씩 사용하여 가장 작은 네 자리 수를 만들어 보세요.

(　　　　　　　　)

3 단계 교과서 실력 다지기

☐ 안에 들어갈 수 있는 수 구하기

5 1부터 9까지의 수 중 ☐ 안에 들어갈 수 있는 수를 모두 구해 보세요.

5419 < ☐326

답 ______________________

개념 피드백

• 네 자리 수의 크기 비교

천의 자리 숫자가 클수록 더 큰 수 → 백의 자리 숫자가 클수록 더 큰 수 → 십의 자리 숫자가 클수록 더 큰 수 → 일의 자리 숫자가 클수록 더 큰 수

5-1 0부터 9까지의 수 중 ☐ 안에 들어갈 수 있는 수를 모두 찾아 ○표 하세요.

2725 > 272☐

(0, 1, 2, 3, 4, 5, 6, 7, 8, 9)

5-2 0부터 9까지의 수 중 ☐ 안에 들어갈 수 있는 수는 모두 몇 개일까요?

4☐72 > 4681

( )

★ 조건을 만족하는 수 구하기

6 다음 조건을 모두 만족하는 네 자리 수를 구해 보세요.

- 2000보다 크고 3000보다 작은 수입니다.
- 백의 자리 숫자는 천의 자리 숫자보다 2만큼 더 큰 수입니다.
- 십의 자리 숫자는 5이고, 일의 자리 숫자보다 1만큼 더 큰 수입니다.

① 천의 자리 숫자는 ☐입니다.

② 백의 자리 숫자는 ☐입니다.

③ 십의 자리 숫자가 ☐이므로 일의 자리 숫자는 ☐입니다.

④ 조건을 모두 만족하는 네 자리 수는 ☐입니다.

답 ____________

개념 피드백

- 네 자리 수 ★■▲●

① 천 모형 ★개	② 1000이 ★개	③ 천의 자리 숫자 ★
백 모형 ■개	100이 ■개	백의 자리 숫자 ■
십 모형 ▲개	10이 ▲개	십의 자리 숫자 ▲
일 모형 ●개	1이 ●개	일의 자리 숫자 ●

6-1 다음 조건을 모두 만족하는 네 자리 수를 구해 보세요.

- 4000보다 크고 5000보다 작은 수입니다.
- 백의 자리 숫자는 천의 자리 숫자보다 3만큼 더 큰 수입니다.
- 십의 자리 숫자는 백의 자리 숫자보다 4만큼 더 작은 수입니다.
- 일의 자리 숫자는 십의 자리 숫자보다 5만큼 더 큰 수입니다.

(   )

1주 교과서

교과서 서술형 연습

서술형 연습

1 빈이는 5월까지 3200원을 저금했습니다. 6월부터 10월까지 한 달에 1000원씩 계속 저금한다면 10월까지 얼마를 저금할 수 있는지 구해 보세요.

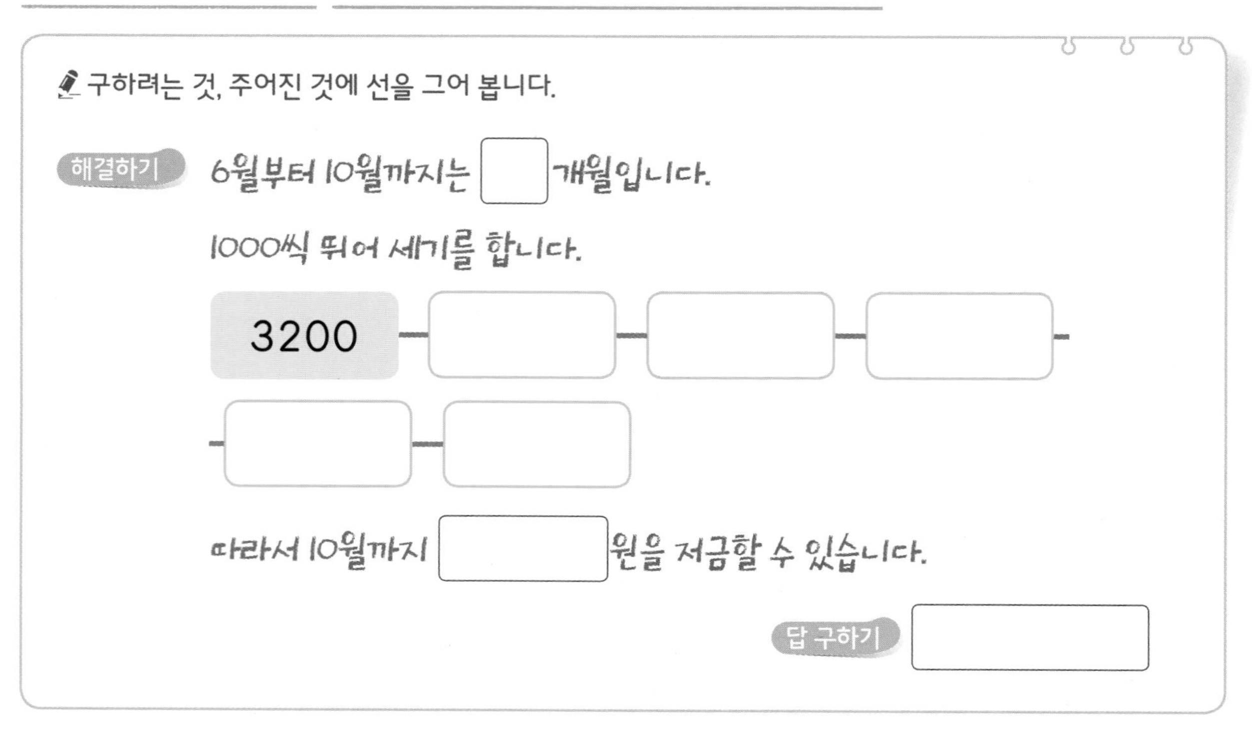
구하려는 것, 주어진 것에 선을 그어 봅니다.

해결하기 6월부터 10월까지는 ☐개월입니다.

1000씩 뛰어 세기를 합니다.

3200 — ☐ — ☐ — ☐ — ☐ — ☐

따라서 10월까지 ☐원을 저금할 수 있습니다.

답 구하기 ☐

서술형 실전

2 준호는 2월까지 1700원을 저금했습니다. 3월부터 5월까지 한 달에 2000원씩 계속 저금한다면 5월까지 얼마를 저금할 수 있는지 구해 보세요.

구하려는 것, 주어진 것에 선을 그어 봅니다.

해결하기

답 구하기

정답과 풀이 p.7

서술형 연습

3 다음 네 자리 수에서 ㉠이 나타내는 값과 ㉡이 나타내는 값의 차를 구해 보세요.

6541 (㉠: 4) 6034 (㉡: 4)

해결하기 ㉠이 나타내는 값은 ☐입니다.

㉡이 나타내는 값은 ☐입니다.

따라서 ㉠이 나타내는 값과 ㉡이 나타내는 값의 차는

☐ − ☐ = ☐입니다.

답 구하기 ☐

서술형 실전

4 다음 네 자리 수에서 ㉠이 나타내는 값과 ㉡이 나타내는 값의 차를 구해 보세요.

5370 (㉠: 7) 5197 (㉡: 7)

해결하기

답 구하기

1주 교과서

PLAY 사고력 개념 스토리

서랍장 완성하기

준비물 붙임딱지

왼쪽의 네 자리 수를 각 자리의 숫자가 나타내는 값으로 서랍장의 각 칸에 나누어 썼습니다. 아래에서 위로 올라갈수록 큰 수가 될 때 □ 안에 알맞은 수를 쓰고 문고리 붙임딱지를 찾아 붙여 보세요.

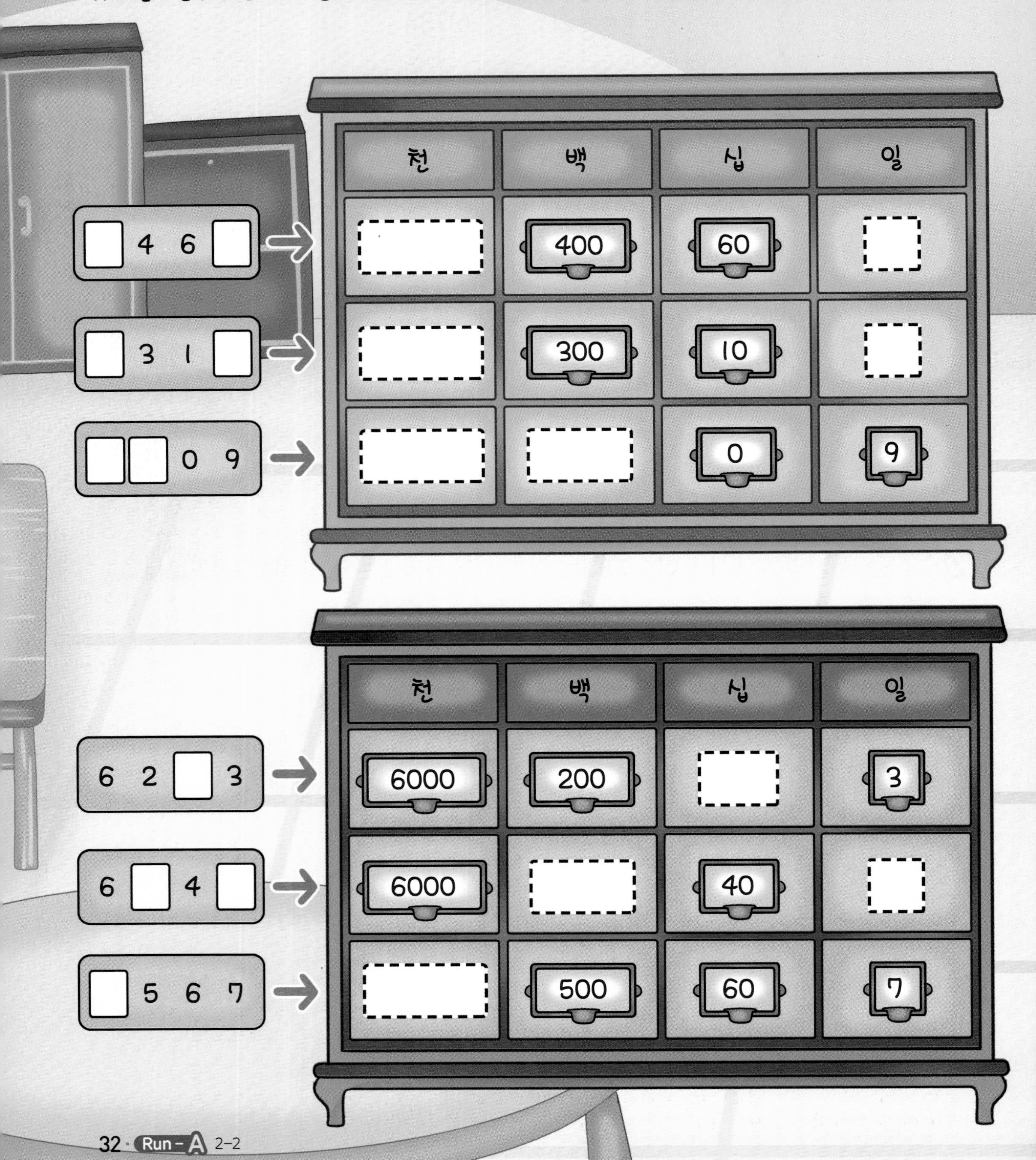

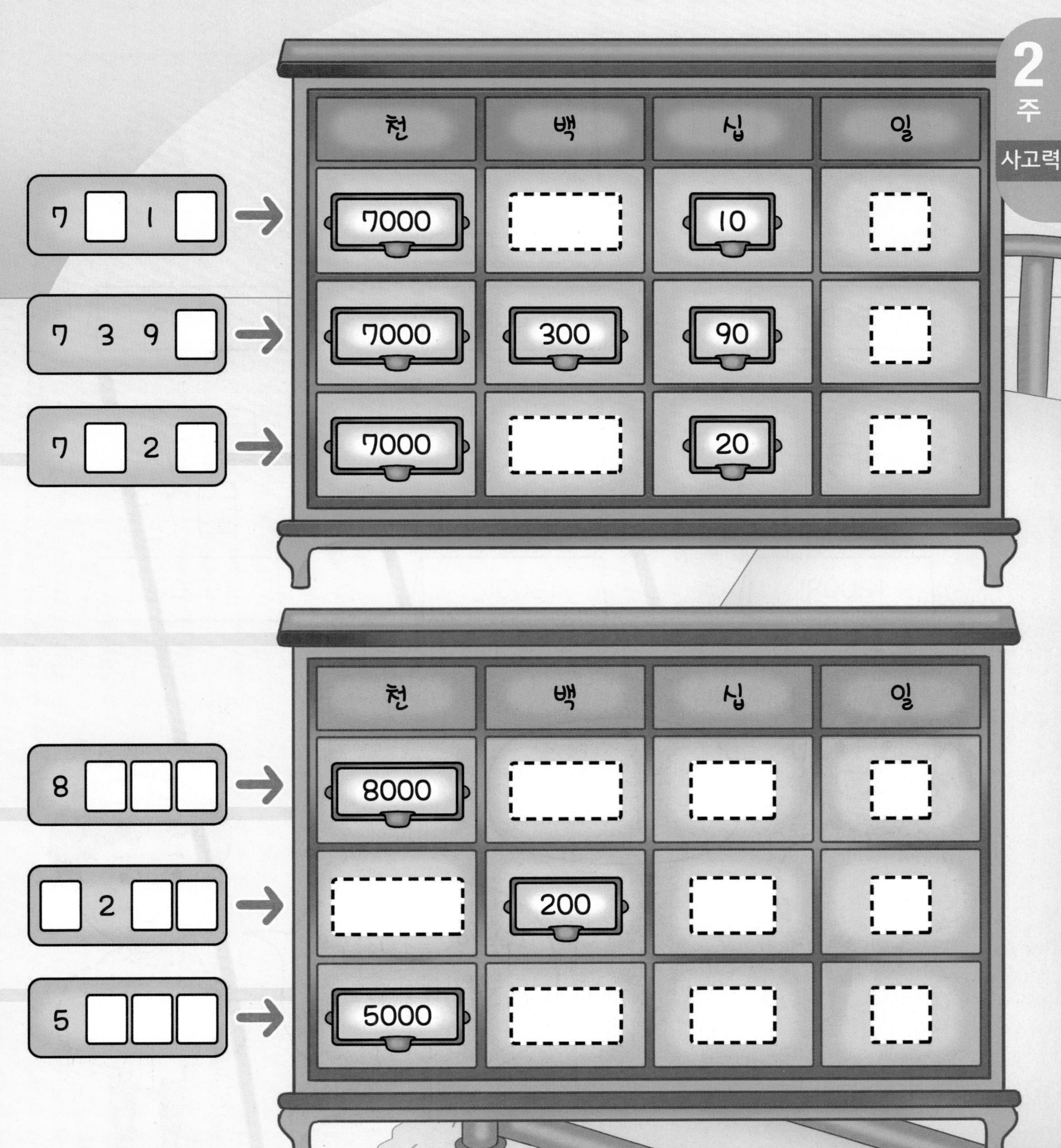
천
백
십
일
7 1
7000
10
7 3 9
7000
300
90
7 2
7000
20
천
백
십
일
8
8000
2
200
5
5000

PLAY 사고력 개념 스토리

알맞은 돼지 저금통 찾기

준비물 붙임딱지

어느 문방구에 있는 학용품의 가격표입니다. 학생들이 사려는 학용품의 가격만큼 돈이 들어 있는 돼지 저금통 붙임딱지를 찾아 붙여 보세요.

나는 풀 9개를
살 거야.
상혁
나는 지우개 5개와
가위 2개를 살 거야.
윤아
나는 공책 2권과
삼각자 2개를 살 거야.
수지
나는 가위 1개와
연필 20자루를
살 거야.
영진
2
주
사고력

1단계 교과 사고력 잡기

1 **수 카드 4장이 들어 있는 주머니가 2개 있습니다. 수 카드 4장을 한 번씩 사용하여 네 자리 수를 각각 만들려고 합니다. 천의 자리 숫자가 같은 가장 큰 수를 각각 만들어 보세요.**

❶ 두 주머니에 공통으로 들어 있는 수 카드에 써 있는 수는 얼마일까요?

( )

❷ 천의 자리 숫자가 같은 네 자리 수를 만들 때 천의 자리 숫자는 얼마일까요?

( )

❸ 빨간 주머니에서 천의 자리 숫자가 같은 가장 큰 네 자리 수를 만들어 보세요.

( )

❹ 파란 주머니에서 천의 자리 숫자가 같은 가장 큰 네 자리 수를 만들어 보세요.

( )

2

진주네 집에서부터 학교, 마트, 은행까지의 거리를 나타낸 지도입니다. 진주네 집에서 거리가 먼 곳부터 차례로 써 보세요.

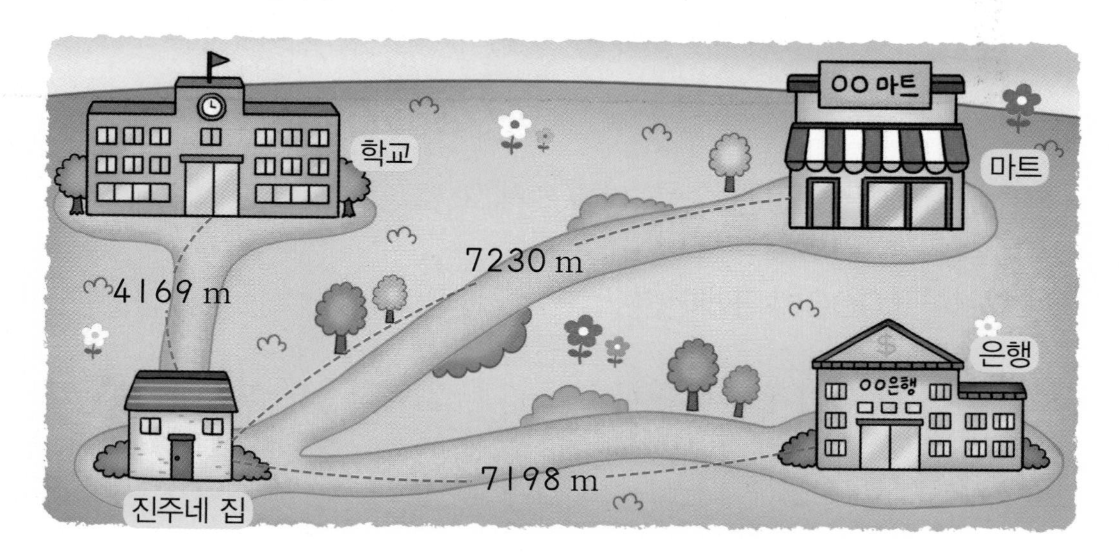

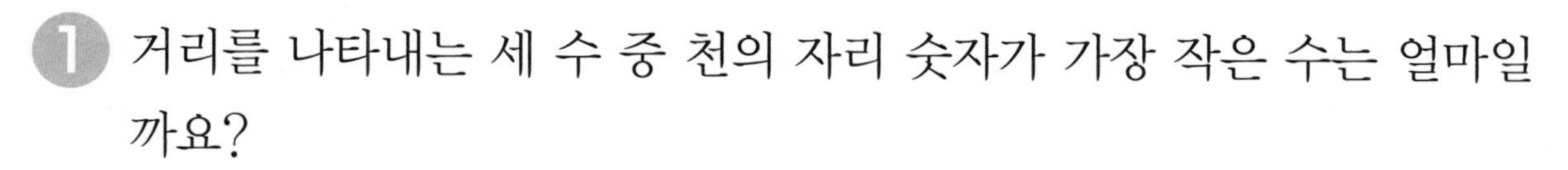

① 거리를 나타내는 세 수 중 천의 자리 숫자가 가장 작은 수는 얼마일까요?

( )

② 천의 자리 숫자가 같은 두 수의 크기는 어떤 자리 숫자를 비교할까요?

( )

③ 천의 자리 숫자가 같은 두 수의 크기를 > 또는 <를 사용하여 나타내어 보세요.

( )

④ 진주네 집에서 거리가 먼 곳부터 차례로 써 보세요.

(, ,)

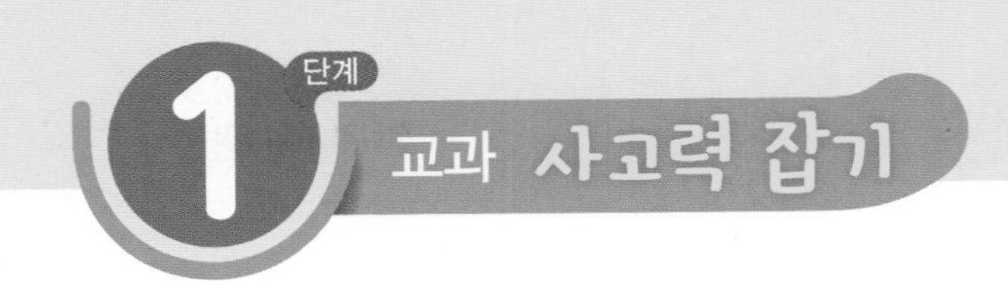

3 다음 수에서 100씩 5번 뛰어 센 수를 구해 보세요.

1000이 3개, 100이 14개, 1이 22개인 수

❶ □ 안에 알맞은 수를 써넣으세요.

1000이 3개이면 □입니다.

100이 14개이면 □입니다.

1이 22개이면 □입니다.

➜ 1000이 3개, 100이 14개, 1이 22개인 수는 □입니다.

❷ 100씩 뛰어 세면 어느 자리 숫자가 몇씩 변하는지 알아보세요.

100씩 뛰어 세면 (백 , 십)의 자리 숫자가 1씩 (커집니다 , 작아집니다).

❸ 1000이 3개, 100이 14개, 1이 22개인 수에서 100씩 5번 뛰어 세어 보세요.

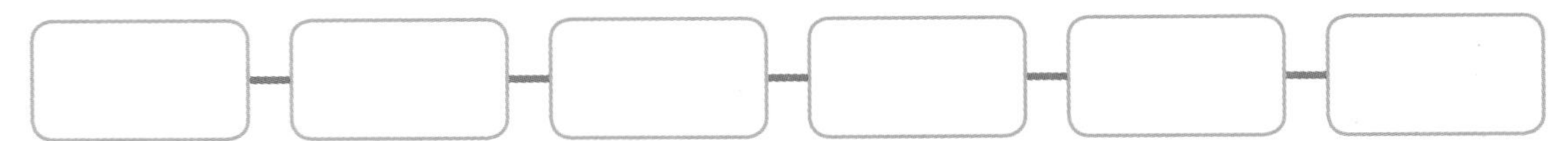

❹ 1000이 3개, 100이 14개, 1이 22개인 수에서 100씩 5번 뛰어 센 수를 구해 보세요.

(　　　　　　)

4 **수직선을 보고 몇씩 뛰어 센 것인지 규칙을 찾아 ㉠이 나타내는 수를 구해 보세요.**

❶

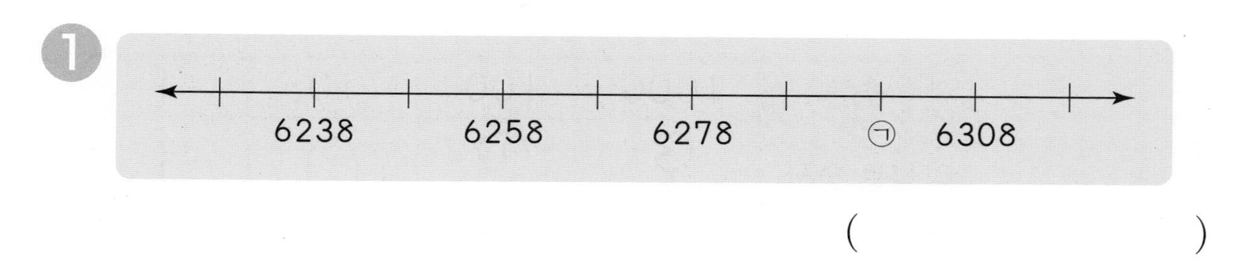

(   )

❷

3259 ㉠ 3265 3268

(   )

5 **다음 수에서 1000씩 거꾸로 3번 뛰어 센 수를 구해 보세요.**

팔천구십이

(   )

2단계 교과 사고력 확장

1 고대 이집트에서는 다음과 같이 수를 그림으로 나타내었습니다. 보기 의 이집트 숫자를 보고 나타내는 수를 찾아 선으로 이어 보세요.

수	1000	100	10	1
이집트 숫자				

보기

→ 2324

· 2513

· 1215

· 3243

· 3416

2 돼지 저금통에 들어 있는 돈이 1000원이 되기 위해서 얼마가 더 있어야 하는지 알맞은 것을 찾아 선으로 이어 보세요.

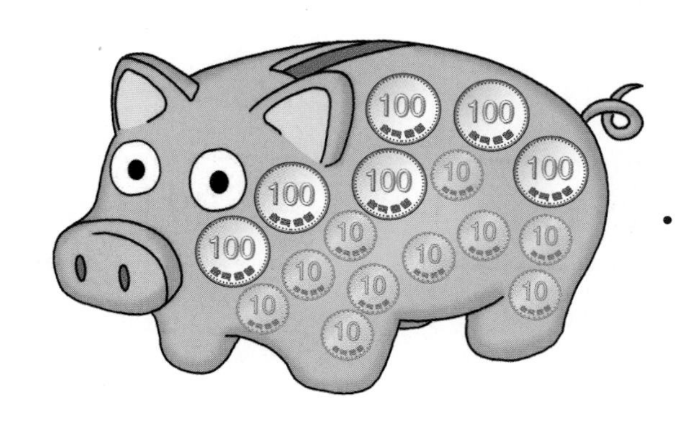

3

보기 와 같은 규칙으로 빈칸에 알맞은 수를 써넣으세요.

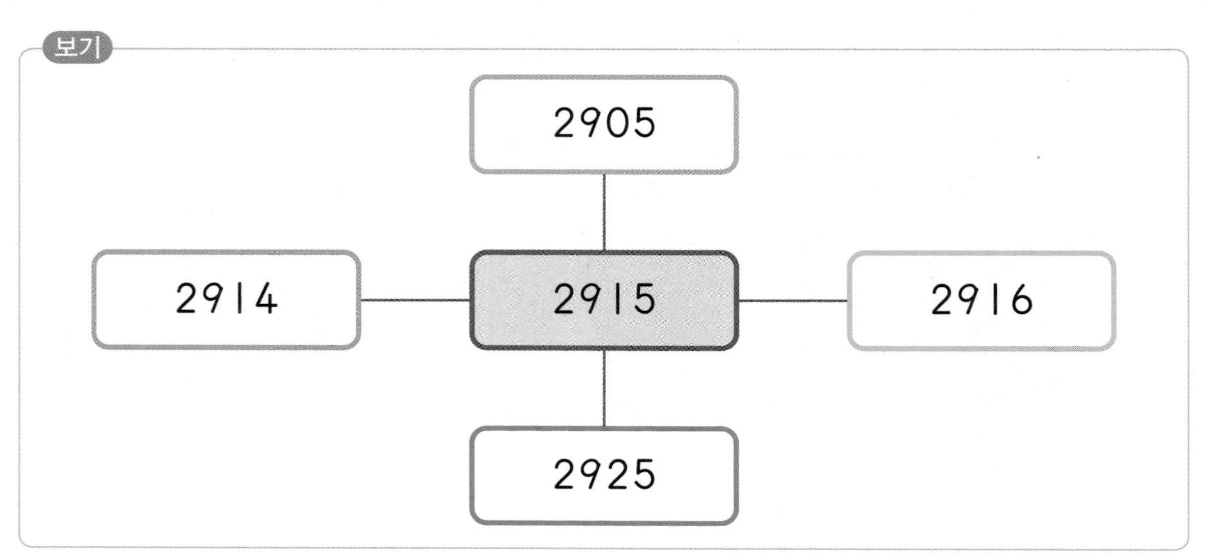

①

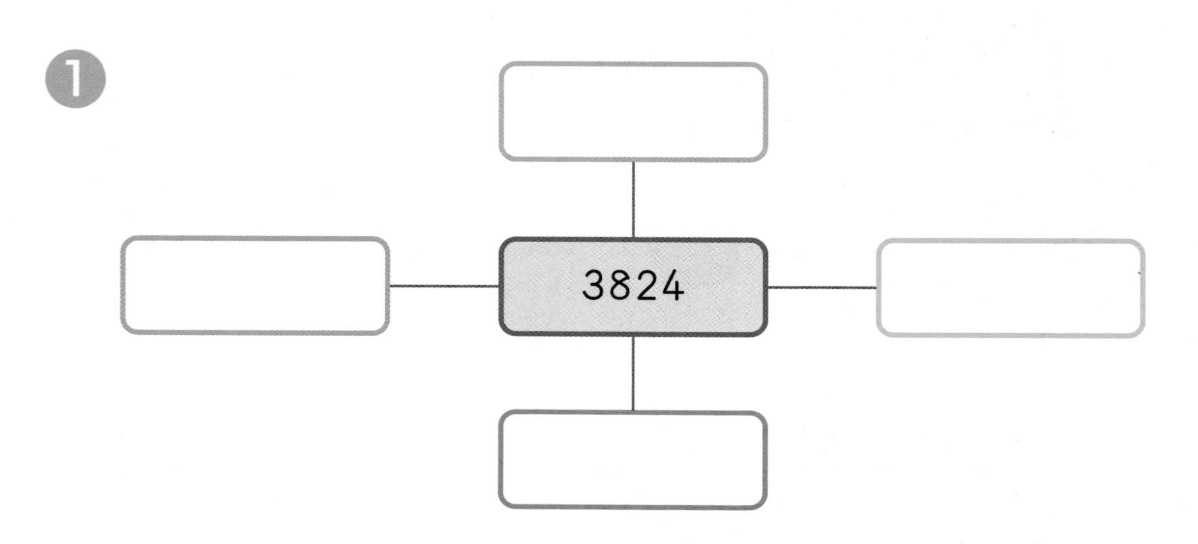

②

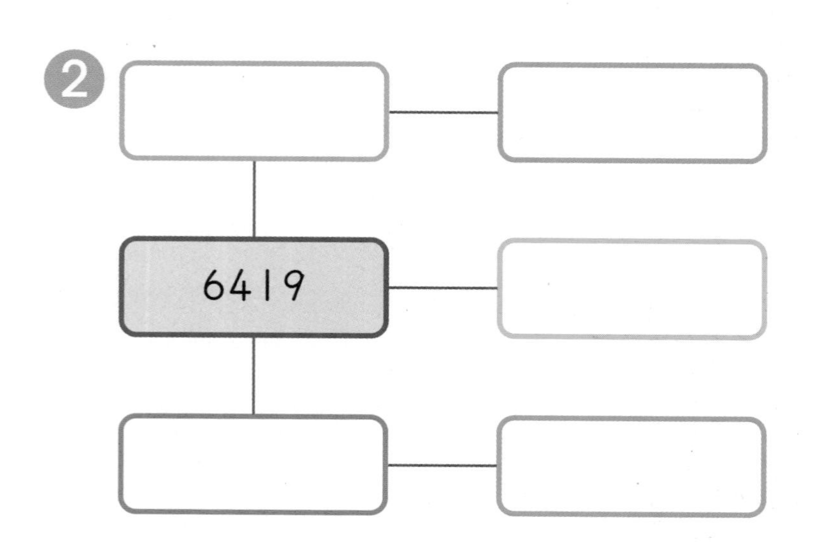

정답과 풀이 p.10

4 주어진 수 모형 5개 중 4개를 사용하여 나타낼 수 없는 네 자리 수를 찾아 기호를 써 보세요.

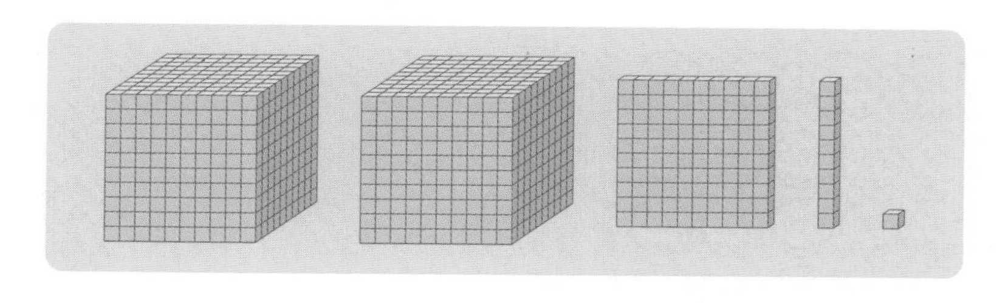

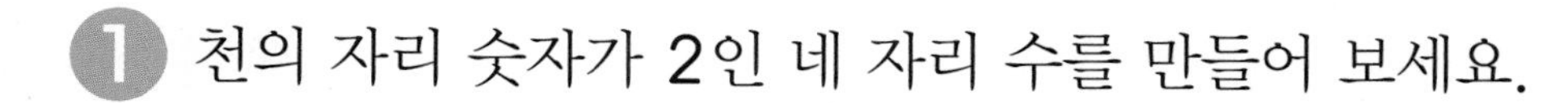
㉠ 2110 ㉡ 2011 ㉢ 1201 ㉣ 1111

① 천의 자리 숫자가 2인 네 자리 수를 만들어 보세요.

2□□□ 2□□□ 2□□□

② 천의 자리 숫자가 1인 네 자리 수를 만들어 보세요.

1□□□

③ 주어진 수 모형 5개 중 4개를 사용하여 나타낼 수 없는 네 자리 수를 찾아 기호를 써 보세요.

( )

3 단계 교과 사고력 완성

평가 영역 ☑개념 이해력 □개념 응용력 ☑창의력 □문제 해결력

1 동전을 지폐로 바꾸려고 합니다. 알맞은 것끼리 선으로 이어 보세요.

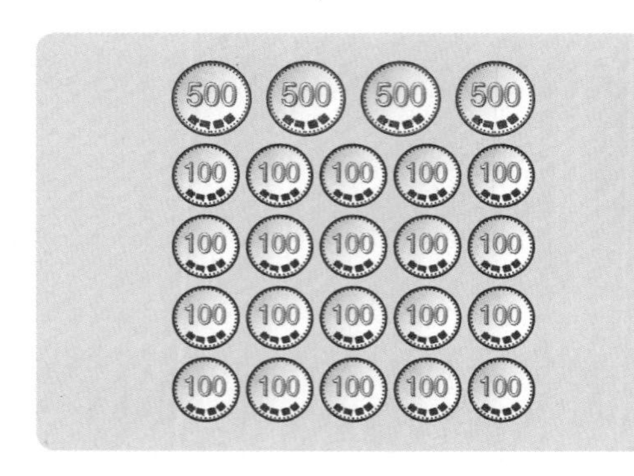

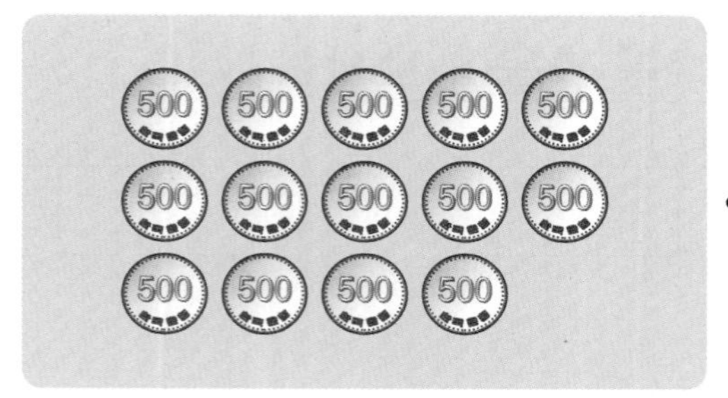

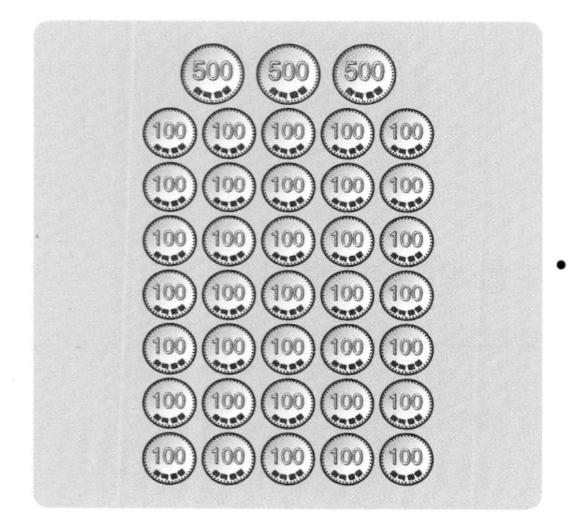

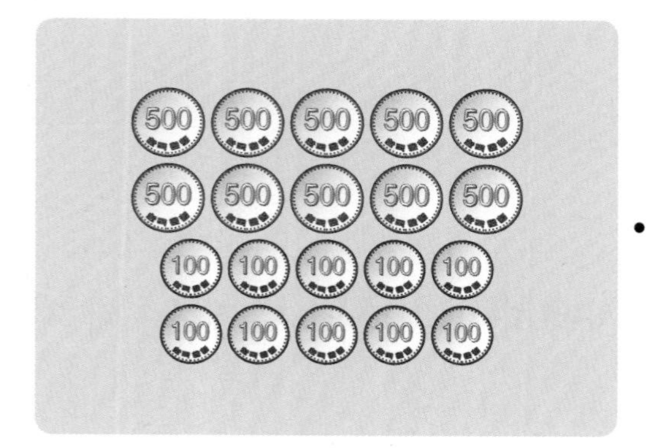

정답과 풀이 p.11

평가 영역 □개념 이해력 ☑개념 응용력 □창의력 ☑문제 해결력

2

우리나라 돈과 다른 나라 돈의 교환 비율은 매일 조금씩 변합니다. 어느 날 미국 돈 1달러가 우리나라 돈으로 1100원일 때 다음 물건의 가격은 우리나라 돈으로 각각 얼마인지 구해 보세요.

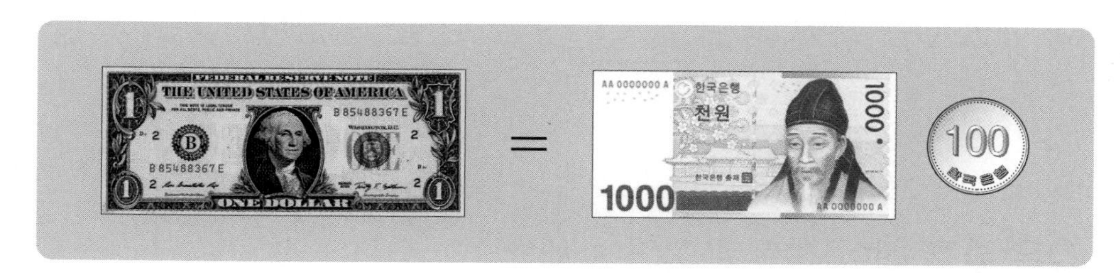

2주 사고력

4달러

2달러

7달러

① 규칙을 찾아 빈 곳에 알맞게 써넣으세요.

1달러	2달러	3달러	4달러	5달러
1100원				

② 책, 인형, 축구공의 가격은 우리나라 돈으로 각각 얼마인지 구해 보세요.

1. 네 자리 수

맞은 개수

1 □ 안에 알맞은 수를 써넣으세요.

(1) 900보다 100만큼 더 큰 수는 □입니다.

(2) 1000은 990보다 □만큼 더 큰 수입니다.

2 같은 수를 찾아 선으로 이어 보세요.

7000 •	• 오천
5000 •	• 육천
6000 •	• 칠천

3 돈은 모두 얼마일까요?

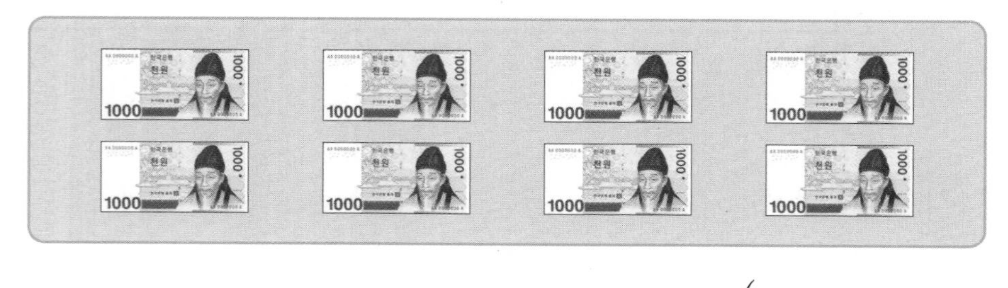

( )

4 빈칸에 알맞은 말이나 수를 써넣으세요.

수	읽기
9452	
	팔천십육

5 6847에서 각 자리 숫자가 나타내는 값을 □ 안에 써넣으세요.

6이 나타내는 값은 □ 입니다.

8이 나타내는 값은 □ 입니다.

4가 나타내는 값은 □ 입니다.

7이 나타내는 값은 □ 입니다.

6 다음이 나타내는 수를 써 보세요.

1000이 4개, 100이 6개, 10이 3개, 1이 9개인 수

(　　　　　　)

7 다음 네 자리 수에서 숫자 5가 나타내는 값을 써 보세요.

(1) 6529

(　　　　　　)

(2) 5003

(　　　　　　)

(3) 2154

(　　　　　　)

(4) 4765

(　　　　　　)

8 100씩 뛰어 세어 보세요.

1257 — □ — 1457 — □ — □ — 1757

9 □ 안에 알맞은 수를 써넣으세요.

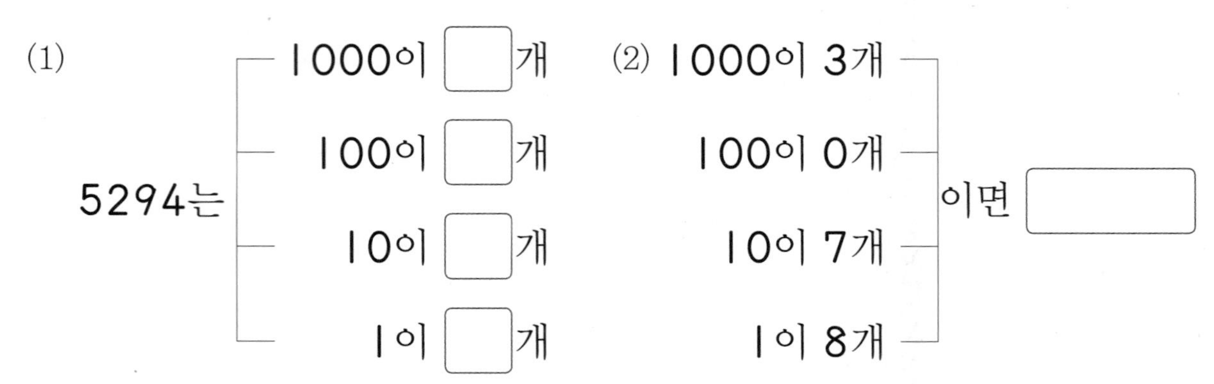

10 두 수의 크기를 비교하여 ○ 안에 > 또는 <를 알맞게 써넣으세요.

(1) 5316 ○ 5294 (2) 6709 ○ 8000

11 몇씩 뛰어 센 것인지 써 보세요.

( )

12 큰 수부터 차례로 써 보세요.

6204 5937 6195

( )

[13~15] 수 배열표를 보고 물음에 답하세요.

3600	3700	3800	3900	
4600	4700	4800	4900	5000
5600	5700			6000
6600		6800		
7600			7900	8000

13 →에 있는 수들은 얼마씩 뛰어 센 것일까요?

( )

14 ↓에 있는 수들은 얼마씩 뛰어 센 것일까요?

( )

15 에 들어갈 수는 얼마일까요?

( )

16 ㉠이 나타내는 값과 ㉡이 나타내는 값의 합을 구해 보세요.

39<u>2</u>0 (㉠)   804<u>7</u> (㉡)

( )

정답과 풀이 p.12

17 수 카드 4장을 한 번씩 사용하여 네 자리 수를 만들려고 합니다. 백의 자리 숫자가 6인 가장 큰 수와 가장 작은 수를 각각 만들어 보세요.

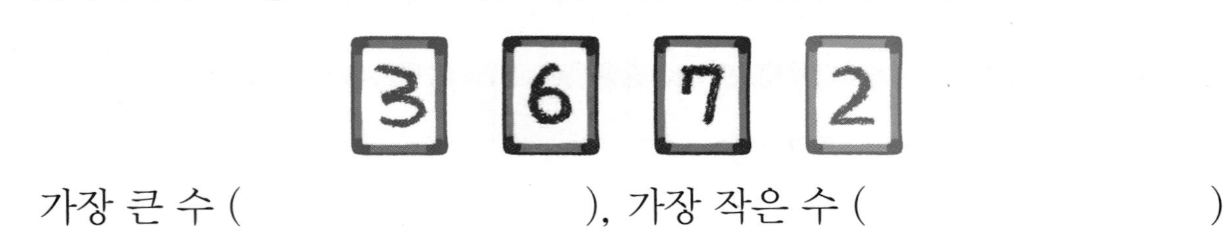

가장 큰 수 (   ), 가장 작은 수 (   )

18 0부터 9까지의 수 중에서 □ 안에 들어갈 수 있는 수를 모두 써 보세요.

$4258<42\square3$

(   )

19 다음 조건을 모두 만족하는 네 자리 수를 구해 보세요.

- 1500보다 크고 1600보다 작습니다.
- 일의 자리 숫자는 3입니다.
- 십의 자리 숫자는 일의 자리 숫자보다 3만큼 더 큰 수입니다.

(   )

정답과 풀이 p.12

1 숫자판의 클립이 가리키는 수를 보기 와 같이 나타낼 때 물음에 답하세요.

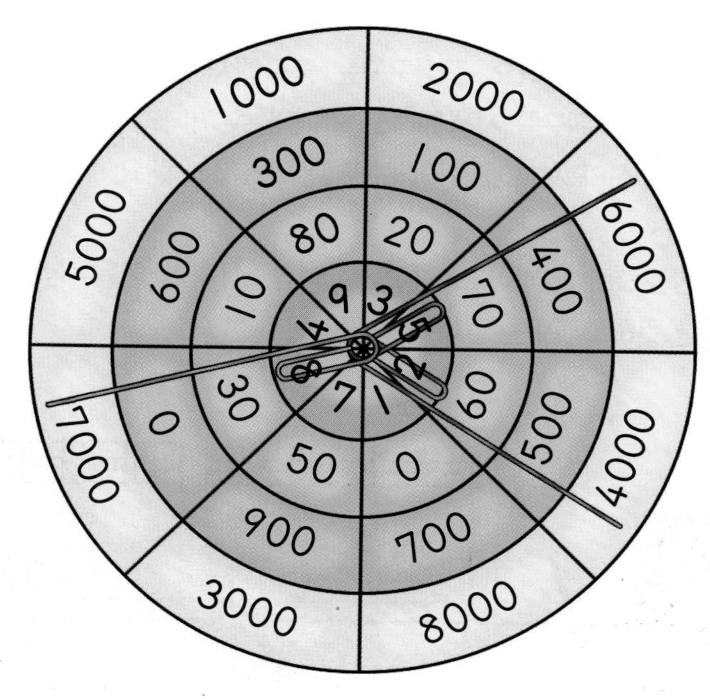

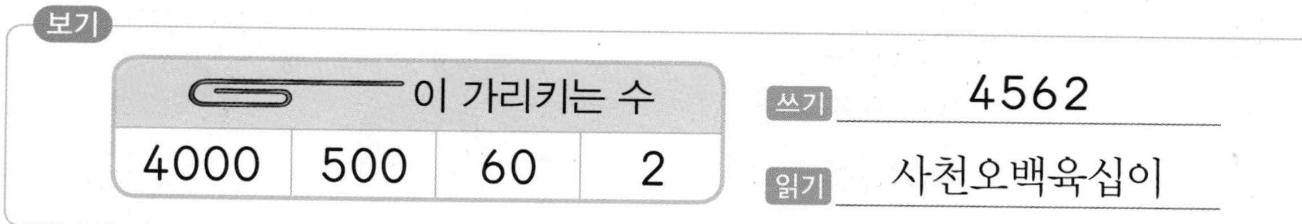

보기

(클립)이 가리키는 수			
4000	500	60	2

쓰기 4562

읽기 사천오백육십이

(1) (클립)이 가리키는 수를 쓰고 읽어 보세요.

6000			5

쓰기 ______________ 읽기 ______________

(2) (클립)이 가리키는 수를 쓰고 읽어 보세요.

쓰기 ______________ 읽기 ______________

2 곱셈구구

단원과 관련된
곱셈구구의 역사를
살펴보아요.

곱셈구구의 역사

곱셈구구의 역사는 아주 오래 되었어요. 곱셈구구는 중국에서 만들어졌다고 해요. 2000여 년 전 중국 한나라 시대에 이미 곱셈구구를 사용했다고 합니다. 우리나라에는 1200여 년 전에 중국에서 곱셈구구가 전해졌는데, 신라 시대에도 곱셈구구를 외웠다고 해요.

옛날에는 곱셈구구를 한문으로 외웠어요. "삼승일 여삼, 삼승이 여육, 삼승삼 여구, 삼승사 여십이……." '승'은 곱하기를 뜻하고 '여'는 같다는 뜻이에요.

옛날에는 곱셈구구를 특별한 사람들만 외웠다고 해요. 이 사람들은 곱셈구구를 소중히 여기며 곱셈구구가 얼마나 편리한 것인지 아무한테나 알려 주지 않았답니다. 그래서 쉽게 익힐 수 있는 곱셈구구를 일부러 어렵게 보이게 하려고 9단의 맨 끝인 '구구 팔십일'부터 외웠대요.
곱셈구구를 일상적으로 구구단이라고 하는데 '구구단'이라는 이름은 그렇게 해서 붙여졌어요. 지금으로부터 700여 년 전 중국 원나라에서 지금과 같이 2단부터 외우기 시작했다고 합니다.

유럽에도 곱셈구구와 비슷한 표가 있지만, 9단까지 외우지 않고 5단까지만 외워요. 반면에 인도에서는 19단까지 외운다고 합니다.

뛰어 세기를 하여 빈칸에 알맞은 수를 써넣으세요.

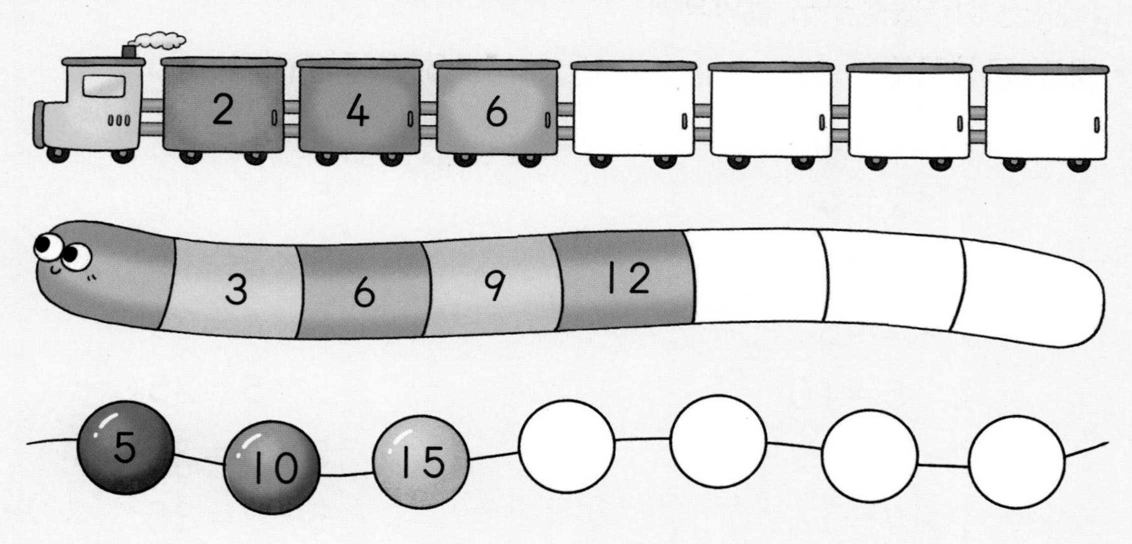

자전거 공장에서 두발자전거와 세발자전거를 만들고 있습니다. 그림과 같이 자전거를 만들려면 바퀴는 모두 몇 개가 필요한지 알아볼까요?

➔ 두발자전거는 자전거 1대에 바퀴가 ☐개씩 필요하므로 모두
$2+2+2+2=$ ☐(개)가 필요합니다.

➔ 세발자전거는 자전거 1대에 바퀴가 ☐개씩 필요하므로 모두
$3+3+3+3+3=$ ☐(개)가 필요합니다.

1 단계 교과서 개념 잡기

개념 1 2단, 5단 곱셈구구 알아보기

• 2단 곱셈구구

$2\times1=2$
$2\times2=4$
$2\times3=6$
$2\times4=8$
$2\times5=10$
$2\times6=12$
$2\times7=14$
$2\times8=16$
$2\times9=18$

(+2, +2, +2, +2, +2, +2, +2, +2)

⇨ 곱하는 수가 1씩 커지면 그 곱은 **2씩 커집니다.**

• 5단 곱셈구구

$5\times1=5$
$5\times2=10$
$5\times3=15$
$5\times4=20$
$5\times5=25$
$5\times6=30$
$5\times7=35$
$5\times8=40$
$5\times9=45$

(+5, +5, +5, +5, +5, +5, +5, +5)

⇨ 곱하는 수가 1씩 커지면 그 곱은 **5씩 커집니다.**

개념 2 3단, 6단 곱셈구구 알아보기

• 3단 곱셈구구

$3\times1=3$
$3\times2=6$
$3\times3=9$
$3\times4=12$
$3\times5=15$
$3\times6=18$
$3\times7=21$
$3\times8=24$
$3\times9=27$

(+3, +3, +3, +3, +3, +3, +3, +3)

⇨ 곱하는 수가 1씩 커지면 그 곱은 **3씩 커집니다.**

• 6단 곱셈구구

$6\times1=6$
$6\times2=12$
$6\times3=18$
$6\times4=24$
$6\times5=30$
$6\times6=36$
$6\times7=42$
$6\times8=48$
$6\times9=54$

(+6, +6, +6, +6, +6, +6, +6, +6)

⇨ 곱하는 수가 1씩 커지면 그 곱은 **6씩 커집니다.**

1-1 □ 안에 알맞은 수를 써넣으세요.

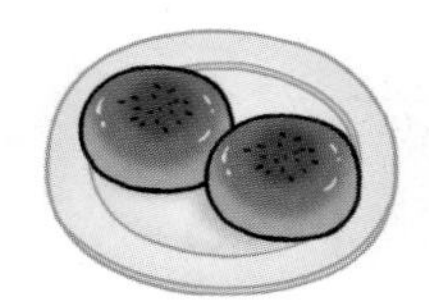  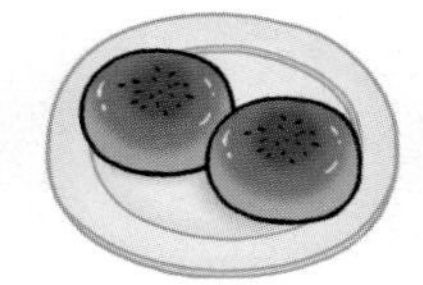 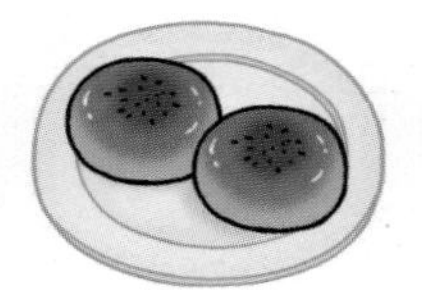 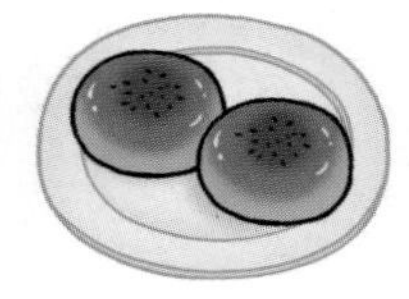

$2+2+2+2+2=\square$ $2\times5=\square$

1-2 □ 안에 알맞은 수를 써넣으세요.

(1) $2\times3=\square$ (2) $2\times8=\square$

(3) $5\times7=\square$ (4) $5\times9=\square$

2-1 곱셈식을 수직선에 나타내고 □ 안에 알맞은 수를 써넣으세요.

$3\times6=\square$

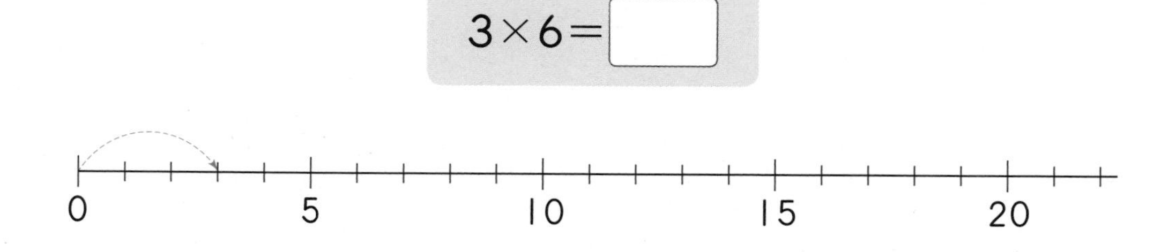

2-2 □ 안에 알맞은 수를 써넣으세요.

(1) $3\times4=\square$ (2) $3\times8=\square$

(3) $6\times5=\square$ (4) $6\times9=\square$

1단계 교과서 개념 잡기

개념 3 4단, 8단 곱셈구구 알아보기

• 4단 곱셈구구

$4\times1=4$
$4\times2=8$ (+4)
$4\times3=12$ (+4)
$4\times4=16$ (+4)
$4\times5=20$ (+4)
$4\times6=24$ (+4)
$4\times7=28$ (+4)
$4\times8=32$ (+4)
$4\times9=36$ (+4)

➩ 곱하는 수가 1씩 커지면 그 곱은 **4씩 커집니다.**

• 8단 곱셈구구

$8\times1=8$
$8\times2=16$ (+8)
$8\times3=24$ (+8)
$8\times4=32$ (+8)
$8\times5=40$ (+8)
$8\times6=48$ (+8)
$8\times7=56$ (+8)
$8\times8=64$ (+8)
$8\times9=72$ (+8)

➩ 곱하는 수가 1씩 커지면 그 곱은 **8씩 커집니다.**

개념 4 7단, 9단 곱셈구구 알아보기

• 7단 곱셈구구

$7\times1=7$
$7\times2=14$ (+7)
$7\times3=21$ (+7)
$7\times4=28$ (+7)
$7\times5=35$ (+7)
$7\times6=42$ (+7)
$7\times7=49$ (+7)
$7\times8=56$ (+7)
$7\times9=63$ (+7)

➩ 곱하는 수가 1씩 커지면 그 곱은 **7씩 커집니다.**

• 9단 곱셈구구

$9\times1=9$
$9\times2=18$ (+9)
$9\times3=27$ (+9)
$9\times4=36$ (+9)
$9\times5=45$ (+9)
$9\times6=54$ (+9)
$9\times7=63$ (+9)
$9\times8=72$ (+9)
$9\times9=81$ (+9)

➩ 곱하는 수가 1씩 커지면 그 곱은 **9씩 커집니다.**

정답과 풀이 p.14

3-1 4단 곱셈구구와 8단 곱셈구구를 이용하여 딸기의 수를 구해 보세요.

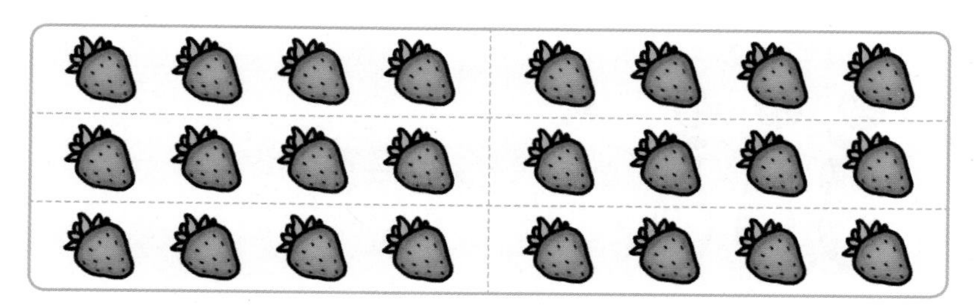

$4 \times 6 = \square$

$8 \times \square = \square$

3-2 빈 곳에 알맞은 수를 써넣으세요.

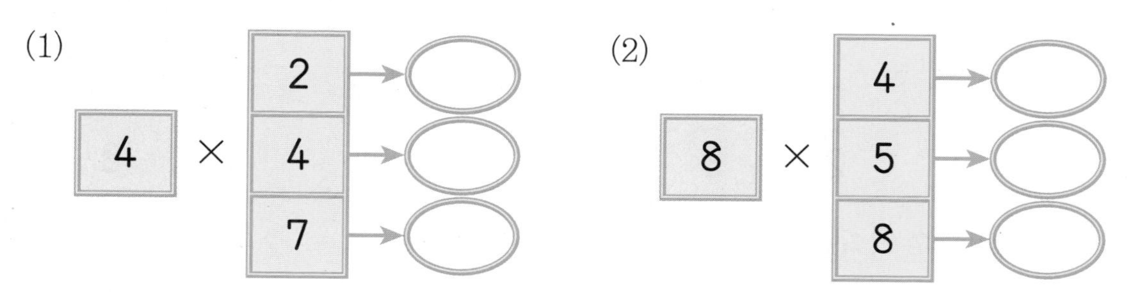

4-1 색 테이프의 전체 길이를 구해 보세요.

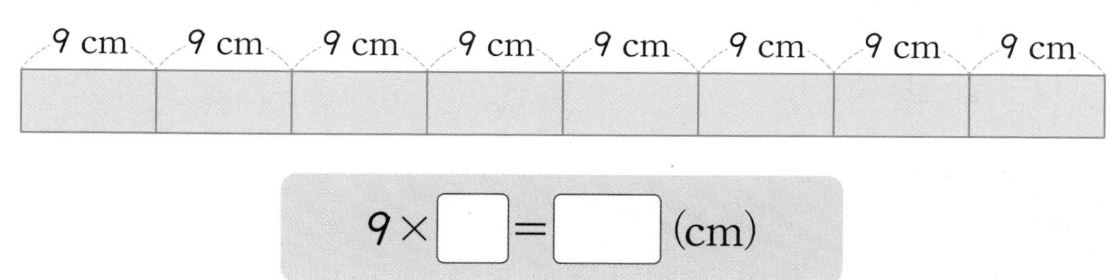

$9 \times \square = \square$ (cm)

4-2 곱셈구구의 값을 찾아 선으로 이어 보세요.

9×3 •	• 35
7×5 •	• 27
7×9 •	• 63

개념 5 1단 곱셈구구 알아보기

$1\times3=3$

$1\times4=4$

×	1	2	3	4	5	6	7	8	9
1	1	2	3	4	5	6	7	8	9

- 1과 어떤 수의 곱은 항상 어떤 수가 됩니다.

  ➩ **1×(어떤 수)=(어떤 수)**

- 어떤 수와 1의 곱은 항상 어떤 수가 됩니다.

  ➩ **(어떤 수)×1=(어떤 수)**

개념 6 0의 곱 알아보기

- 원판 돌리기에서 0이 2번 나오면 0점입니다.

  ➩ $0\times2=0$

- 원판 돌리기에서 3이 한 번도 나오지 않으면 0점입니다.

  ➩ $3\times0=0$

×	1	2	3	4	5	6	7	8	9
0	0	0	0	0	0	0	0	0	0

- 0과 어떤 수의 곱은 항상 0입니다.

  ➩ **0×(어떤 수)=0**

- 어떤 수와 0의 곱은 항상 0입니다.

  ➩ **(어떤 수)×0=0**

5-1 어항 안에 물고기가 1마리씩 들어 있습니다. 물고기의 수를 구해 보세요.

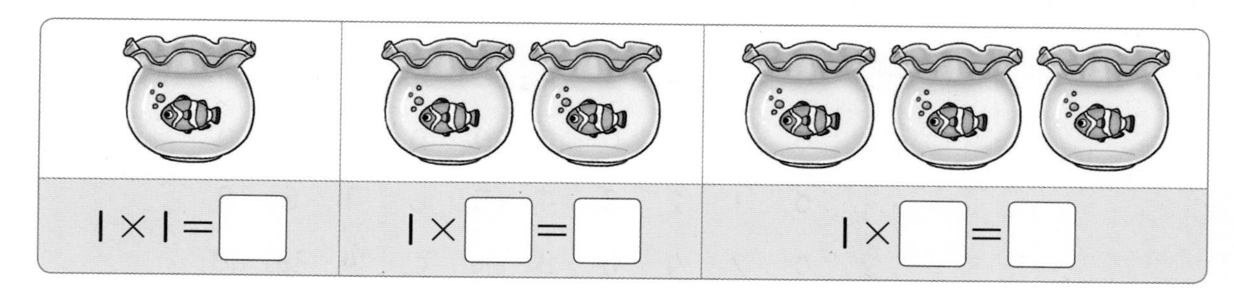

5-2 □ 안에 알맞은 수를 써넣으세요.

(1) $1\times4=\square$

(2) $5\times1=\square$

(3) $3\times1=\square$

(4) $1\times7=\square$

6-1 빈칸에 알맞은 수를 써넣으세요.

×	2	4	5	6	7	9
0						

6-2 3×0과 곱이 같은 것을 모두 찾아 ○표 하세요.

1×2 0×8 3×4 9×0

1 단계 교과서 개념 잡기

개념 7 곱셈표 만들어 보기

×	0	1	2	3	4	5	6	7	8	9
0	0	0	0	0	0	0	0	0	0	0
1	0	1	2	3	4	5	6	7	8	9
2	0	2	4	6	8	10	12	14	16	18
3	0	3	6	9	12	15	18	21	24	27
4	0	4	8	12	16	20	24	28	32	36
5	0	5	10	15	20	25	30	35	40	45
6	0	6	12	18	24	30	36	42	48	54
7	0	7	14	21	28	35	42	49	56	63
8	0	8	16	24	32	40	48	56	64	72
9	0	9	18	27	36	45	54	63	72	81

- ■단 곱셈구구에서는 곱이 **■씩 커집니다.**

  예 3단 곱셈구구에서는 곱이 3씩 커집니다.

  7씩 커지는 곱셈구구는 7단입니다.

- 곱셈에서 곱하는 두 수의 순서를 서로 바꾸어도 **곱이 같습니다.**

  예 $4 \times 6 = 24$, $6 \times 4 = 24$ → 곱이 24로 같습니다.

  $9 \times 7 = 63$, $7 \times 9 = 63$ → 곱이 63으로 같습니다.

개념 8 곱셈구구를 이용하여 문제 해결하기

사과는 바구니 1개에 4개씩 5바구니 있습니다.

➔ $4 \times 5 = 20$(개)

→ 사과는 모두 20개 있습니다.

3주 교과서

7-1 곱셈표를 보고 물음에 답하세요.

×	2	3	4	5	6
2	4	6	8	10	12
3	6	9	12	15	18
4	8	12	16	20	24

(1) 4단 곱셈구구에서는 곱이 얼마씩 커질까요?

( )

(2) 곱셈표에서 2×4와 곱이 같은 곱셈구구를 써 보세요.

( )

7-2 빈칸에 알맞은 수를 써넣어 곱셈표를 완성해 보세요.

(1)

×	4	5	6
2			
3			
4			

(2)

×	3	4	5
6			
7			
8			

8 거미 한 마리의 다리는 8개입니다. 거미 5마리의 다리는 모두 몇 개일까요?

식 ______________________ 답 ______________

PLAY 교과서 개념 스토리

완두콩 키우기

준비물 붙임딱지

완두콩 꼬투리 안에는 완두콩이 들어 있어요. 완두콩이 가득 차도록 알맞은 완두콩 붙임딱지를 찾아 붙여 보세요.

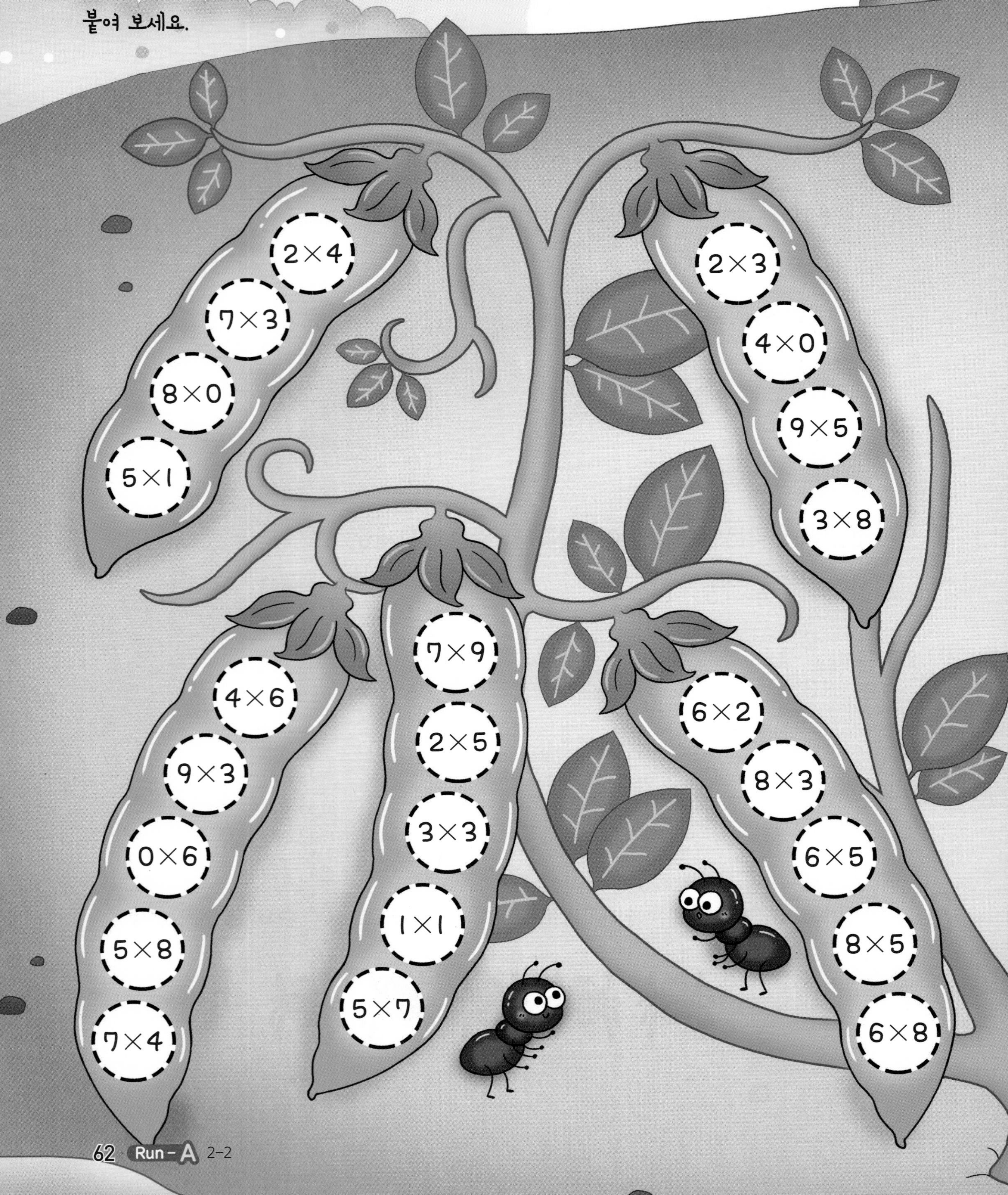

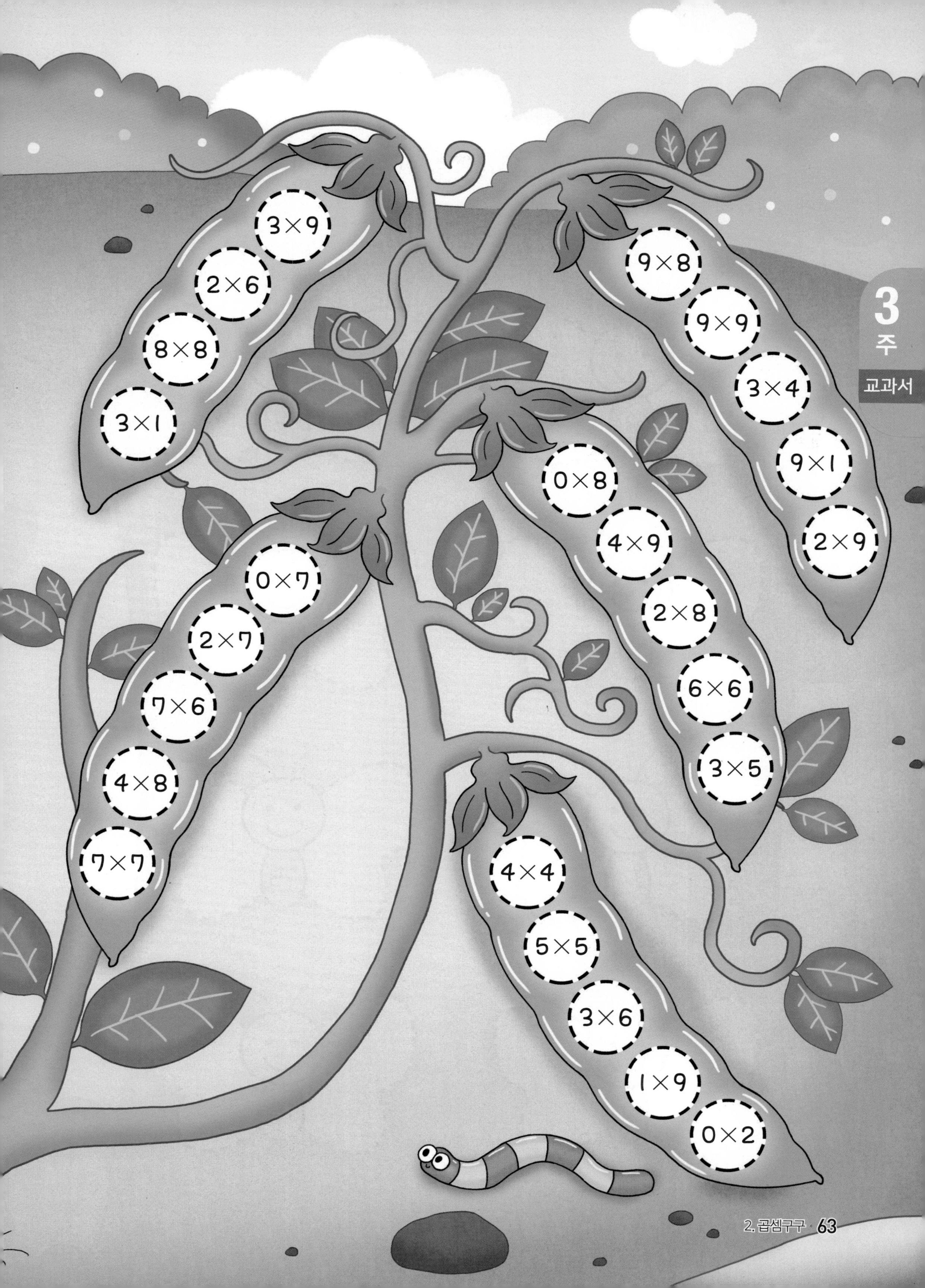
3×9
2×6
8×8
3×1
9×8
9×9
3×4
9×1
2×9
0×8
4×9
2×8
6×6
3×5
0×7
2×7
7×6
4×8
7×7
4×4
5×5
3×6
1×9
0×2
3
주
교과서

PLAY 교과서 개념 스토리

나비 완성하기

준비물 붙임딱지

몸통에 쓰여 있는 수는 양쪽 날개에 쓰여 있는 두 수의 곱이에요. 예쁜 나비가 될 수 있도록 알맞은 날개 붙임딱지를 찾아 붙여 보세요.

54
25
9
21
12
64
30
36
49
24
3
주
교과서

2단계 교과서 개념 다지기

개념 1 2단, 5단 곱셈구구 알아보기

01 그림을 보고 곱셈식을 만들어 보세요.

	5×3=□
	5×□=20
	5×□=□

02 □ 안에 알맞은 수를 써넣으세요.

(1) 2+2+2+2+2+2+2=□ ➔ 2×□=□

(2) 5+5+5+5+5+5=□ ➔ 5×□=□

03 곱이 같은 것끼리 선으로 이어 보세요.

2×9 •	• 2×5
5×2 •	• 9×2
5×8 •	• 8×5

개념 2 3단, 6단 곱셈구구 알아보기

04 곱셈식에 맞게 ○를 그리고 □ 안에 알맞은 수를 써넣으세요.

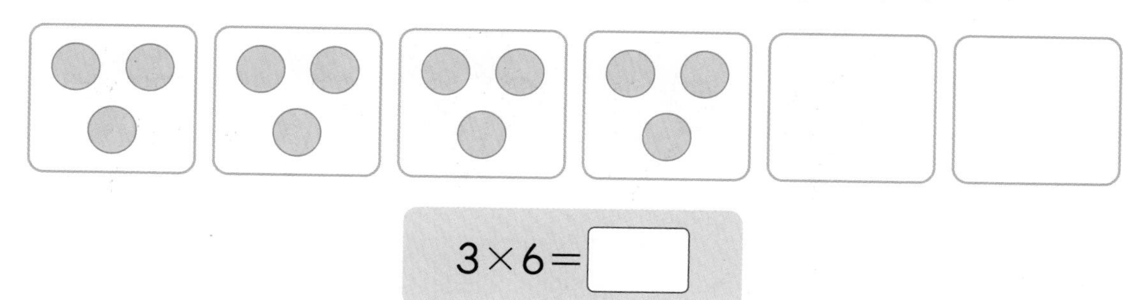

$3\times6=\square$

05 □ 안에 알맞은 수를 써넣으세요.

(1)
$3\times2=\square$
$3\times3=\square$
$3\times4=\square$
$3\times5=\square$
$+\square$
$+\square$
$+\square$

(2)
$6\times4=\square$
$6\times5=\square$
$6\times6=\square$
$6\times7=\square$
$+\square$
$+\square$
$+\square$

06 곱셈식이 옳게 되도록 선으로 이어 보세요.

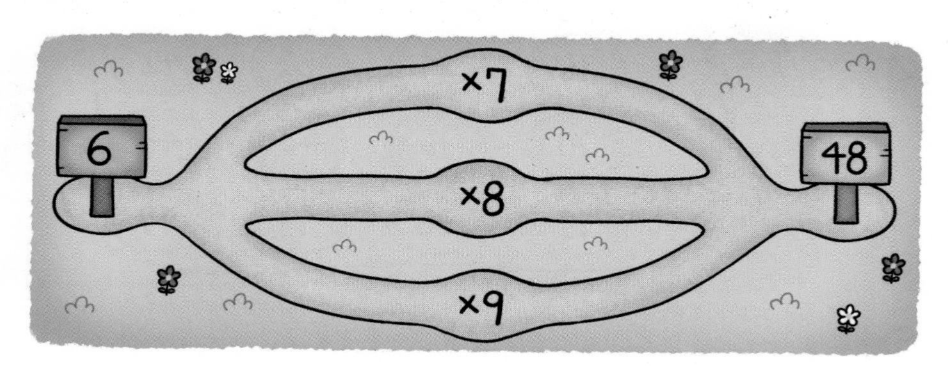

개념 3 4단, 8단 곱셈구구 알아보기

07 풍선의 개수를 곱셈식으로 나타내어 보세요.

$4 \times \square = \square$

08 빈칸에 알맞은 수를 써넣으세요.

×	1	2	4	6	7	9
4						
8						

09 8단 곱셈구구의 값을 찾아 작은 수부터 차례로 선으로 이어 보세요.

개념 4 7단, 9단 곱셈구구 알아보기

10 □ 안에 알맞은 수를 써넣으세요.

(1)

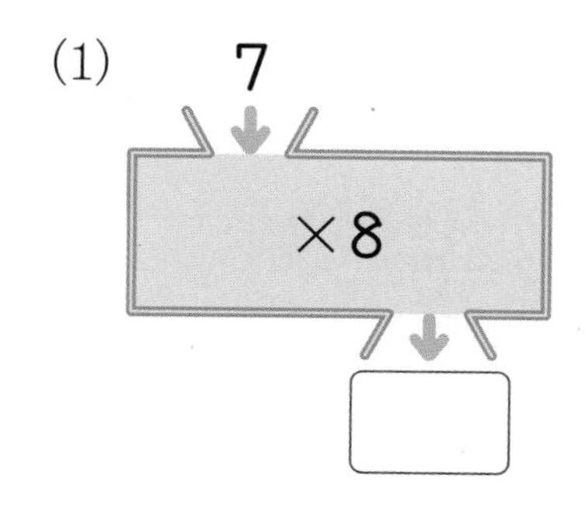

(2)

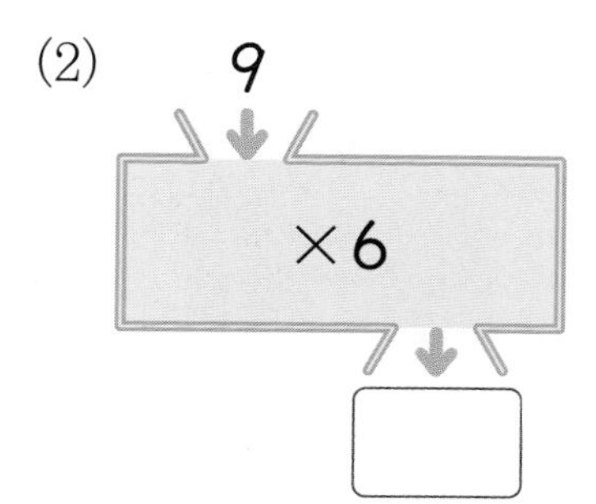

11 □ 안에 알맞은 수를 써넣으세요.

(1) 7

×8

(2) 9

×6

12 7단 곱셈구구의 값을 모두 찾아 ○표 하세요.

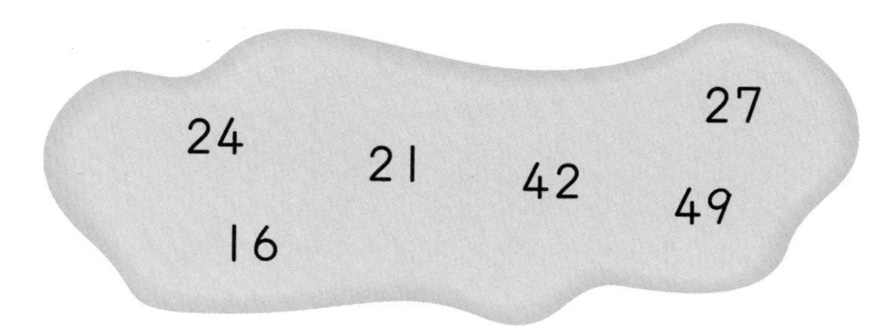

개념 5 1단 곱셈구구와 0의 곱 알아보기

13 꽃병에 있는 꽃은 모두 몇 송이인지 곱셈식으로 나타내어 보세요.

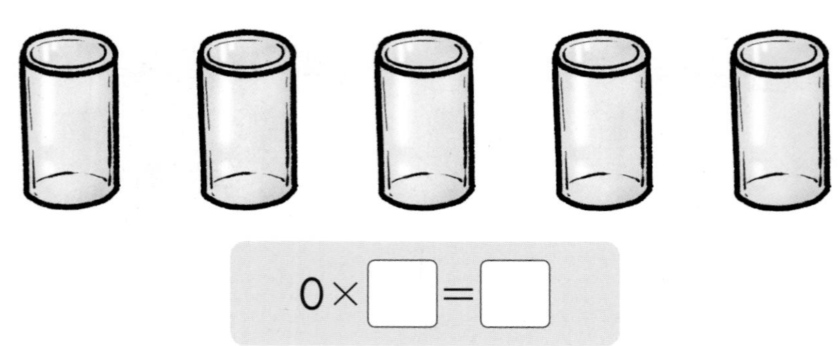

$0 \times \square = \square$

14 □ 안에 알맞은 수를 써넣으세요.

$3 \times \square = 0$ $\quad$ $\square \times 9 = 0$

15 곱셈을 이용하여 빈칸에 알맞은 수를 써넣으세요.

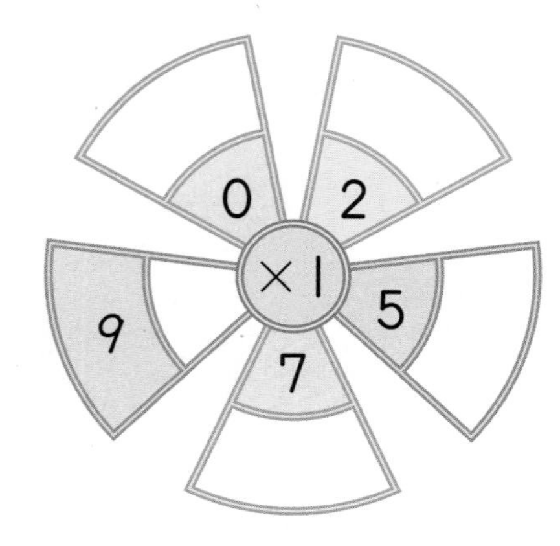

개념 6 곱셈표 만들어 보기

[16~19] 곱셈표를 보고 물음에 답하세요.

×	2	3	4	5	6
2	4	6			
3		9		15	
4	8				24
5	10	15		25	

16 빈칸에 알맞은 수를 써넣어 곱셈표를 완성해 보세요.

17 5단 곱셈구구에서는 곱이 얼마씩 커질까요?

( )

18 곱셈표에서 4×5와 곱이 같은 곱셈구구를 써 보세요.

( )

19 빨간색 선으로 둘러싸여 있는 수들은 어떤 규칙이 있을까요?

( )

3단계 교과서 실력 다지기

★ 곱의 크기 비교하기

1 곱의 크기를 비교하여 ○ 안에 $>$, $=$, $<$를 알맞게 써넣으세요.

6×3  2×7

개념 피드백
- 6단 곱셈구구에서 곱하는 수가 1씩 커지면 그 곱은 6씩 커집니다.
- 2단 곱셈구구에서 곱하는 수가 1씩 커지면 그 곱은 2씩 커집니다.

1-1 곱이 더 작은 것에 △표 하세요.

3×8 ( )　　9×3 ( )

1-2 곱이 가장 큰 것을 찾아 기호를 써 보세요.

㉠ 7×5　　㉡ 4×9　　㉢ 8×4

( )

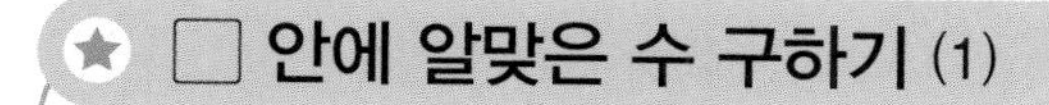

□ 안에 알맞은 수 구하기 (1)

2 □ 안에 알맞은 수를 써넣으세요.

$$9\times\square=63$$

개념 피드백

$9\times1=9$, $9\times2=18$, $9\times3=27$……

9단 곱셈구구에서 곱하는 수가 1씩 커지면 그 곱은 9씩 커집니다.

3주 교과서

2-1 □ 안에 알맞은 수를 써넣으세요.

(1) $5\times\square=20$

(2) $\square\times7=42$

2-2 ㉠과 ㉡에 알맞은 수의 합을 구해 보세요.

$7\times$㉠$=49$

㉡$\times6=30$

(　　　　　　　　)

☐ 안에 알맞은 수 구하기 (2)

3 ☐ 안에 들어갈 수 있는 수에 모두 ○표 하세요.

$$\square \times 5 < 24$$

(0 , 1 , 2 , 3 , 4 , 5 , 6 , 7 , 8 , 9)

개념 피드백

- 0과 어떤 수의 곱은 항상 0입니다.
- 곱셈에서 곱하는 두 수의 순서를 서로 바꾸어도 곱이 같습니다. ➔ $\square \times 5 = 5 \times \square$
- 5단 곱셈구구에서 곱하는 수가 1씩 커지면 그 곱은 5씩 커집니다.

3-1 0부터 9까지의 수 중 ☐ 안에 들어갈 수 있는 수를 모두 써 보세요.

$$7 \times \square < 20$$

(　　　　　　　　　　)

3-2 0부터 9까지의 수 중 ☐ 안에 들어갈 수 있는 수는 모두 몇 개일까요?

$$35 > 9 \times \square$$

(　　　　　　　　　　)

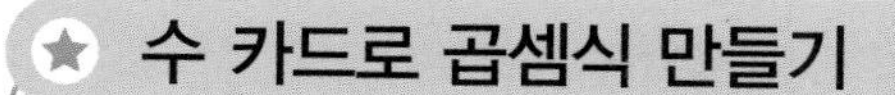

수 카드로 곱셈식 만들기

4 수 카드를 한 번씩만 사용하여 □ 안에 알맞은 수를 써넣으세요.

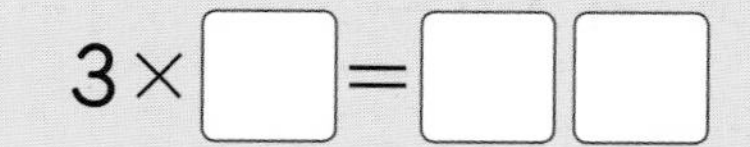

개념 피드백
① 3과 1, 2, 7을 각각 곱해서 어떤 수가 나오는지 구해 봅니다.
② 곱셈식에 수 카드의 수가 한 번씩 들어가는지 알아봅니다.

3주 교과서

4-1 수 카드 3장 중 2장을 골라 두 수의 곱을 계산하려고 합니다. 가장 큰 곱을 구해 보세요.

(   )

4-2 수 카드 4장 중 2장을 골라 두 수의 곱을 계산하려고 합니다. 가장 큰 곱과 가장 작은 곱을 각각 구해 보세요.

가장 큰 곱 (   ), 가장 작은 곱 (   )

★ 두 곱 사이의 수 구하기

5 □ 안에 들어갈 수 있는 수를 모두 써 보세요.

$$2\times6 < \square < 4\times4$$

① $2\times6=\square$이고, $4\times4=\square$입니다.

② □보다 크고 □보다 작은 수는 □입니다.

답 ____________________

개념 피드백

① 주어진 두 곱셈식의 곱을 구합니다.

② 두 곱 사이에 있는 수를 모두 알아봅니다.

5-1 □ 안에 들어갈 수 있는 수를 모두 써 보세요.

$$3\times7 < \square < 5\times5$$

(　　　　　　　　)

5-2 □ 안에 들어갈 수 있는 수는 모두 몇 개일까요?

$$3\times8 < \square < 6\times5$$

(　　　　　　　　)

바르게 계산한 값 구하기

6 어떤 수에 4를 곱해야 할 것을 잘못하여 더했더니 10이 되었습니다. 바르게 계산한 값은 얼마인지 알아보세요.

① 어떤 수를 ●라 하면 잘못 계산한 식 ●+□=□에서
●=□입니다.

② 어떤 수가 □이므로 바르게 계산한 값은
□×□=□입니다.

답 ____________

개념 피드백 어떤 수를 ●라 하고 식을 만들어서 어떤 수를 먼저 구하고, 바르게 계산한 값을 구합니다.

6-1 어떤 수에 7을 곱해야 할 것을 잘못하여 뺐더니 2가 되었습니다. 바르게 계산한 값은 얼마일까요?

(　　　　　　)

6-2 어떤 수에 5를 곱해야 할 것을 잘못하여 8을 곱했더니 24가 되었습니다. 어떤 수는 얼마일까요?

(　　　　　　)

교과서 서술형 연습

서술형 연습
1 영미는 9살입니다. 영미 어머니의 나이는 영미 나이의 4배보다 5살 많다고 합니다. 영미 어머니는 몇 살인지 구해 보세요.

구하려는 것, 주어진 것에 선을 그어 봅니다.

해결하기 영미 나이의 4배를 구하면 9×☐=☐입니다.

영미 나이의 4배보다 5만큼 더 큰 수는 ☐+☐=☐이므로

영미 어머니는 ☐살입니다.

답 구하기 ☐

서술형 실전
2 진수는 8살입니다. 진수 할아버지의 연세는 진수 나이의 9배보다 6살 적다고 합니다. 진수 할아버지는 몇 살인지 구해 보세요.

구하려는 것, 주어진 것에 선을 그어 봅니다.

해결하기

답 구하기

서술형 연습

3 동진이는 팔굽혀펴기를 하루에 7번씩 4일 동안 했고, 민수는 하루에 9번씩 3일 동안 했습니다. 동진이와 민수가 한 팔굽혀펴기는 모두 몇 번인지 구해 보세요.

구하려는 것, 주어진 것에 선을 그어 봅니다.

해결하기 동진이가 한 팔굽혀펴기는 $\square \times \square = \square$(번)이고,

민수가 한 팔굽혀펴기는 $\square \times \square = \square$(번)입니다.

따라서 동진이와 민수가 한 팔굽혀펴기는 모두

$\square + \square = \square$(번)입니다.

답 구하기 $\square$

서술형 실전

4 운동장에 남학생이 4명씩 5줄로 서 있고, 여학생은 3명씩 8줄로 서 있습니다. 운동장에 서 있는 학생은 모두 몇 명인지 구해 보세요.

구하려는 것, 주어진 것에 선을 그어 봅니다.

해결하기

답 구하기

3주 교과서

PLAY 사고력 개념 스토리

알맞은 풍선 찾기

준비물 붙임딱지

한 손에 들고 있는 두 풍선의 수의 곱이 다른 한 손에 들고 있는 풍선의 수(또는 다른 한 손에 들고 있는 두 풍선의 수의 곱)와 같도록 해야 해요. 학생들이 풍선을 모두 가져갈 수 있도록 알맞은 풍선 붙임딱지를 찾아 붙여 보세요.

3
4
2
9
3
6
9
6

PLAY 사고력 개념 스토리

스케치북에 도형 완성하기

준비물 붙임딱지

학생이 말하는 곱셈구구로 만들 수 있는 모형이 되도록 알맞은 모형 붙임딱지를 찾아 붙여 보세요.

1×3과 3×4를 더한 모양이야.
2×3과 4×2를 더한 모양이야.
3×3과 1×5를 더한 모양이야.

4 주
사고력

1

주사위를 10번 던져서 나온 눈의 횟수입니다. 나온 주사위 눈의 수의 전체 합을 구해 보세요.

2회	4회	1회	2회	0회	1회

① 주사위 눈의 수의 합을 구해 보세요.

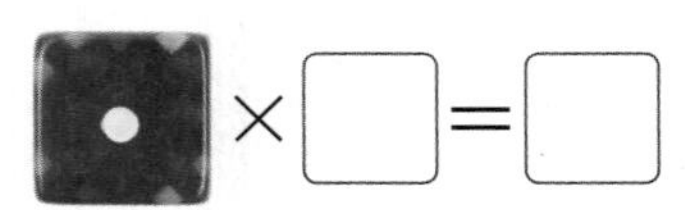

× □ = □

× □ = □

× □ = □

× □ = □

× □ = □

② 눈의 수의 전체 합을 구해 보세요.

□ + □ + □ + □ + □ + □ = □

2 모형을 그림과 같이 쌓았습니다. 모형의 수를 곱셈구구를 이용하여 2가지 방법으로 구해 보세요.

❶

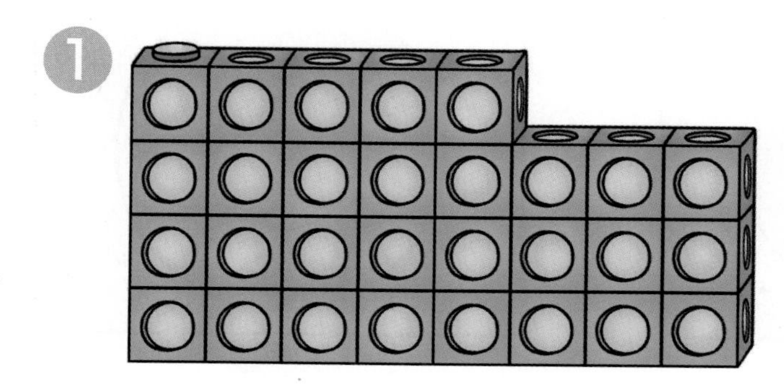

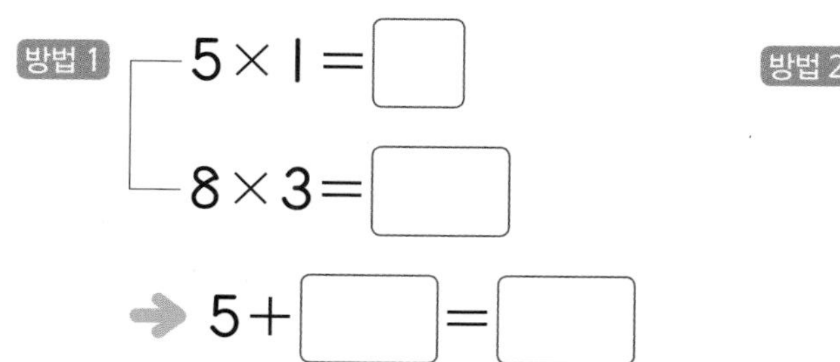

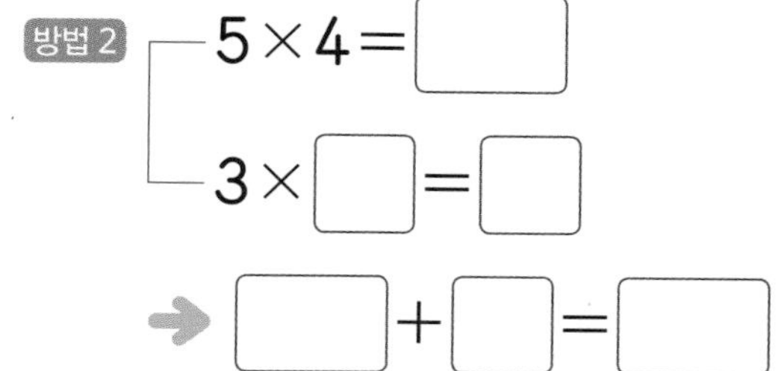

❷

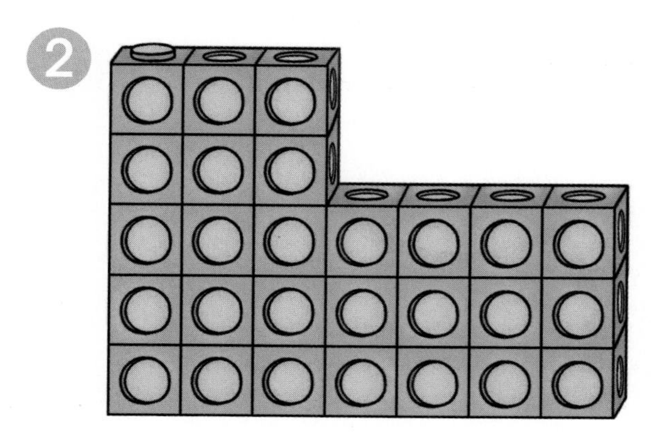

방법 1
3 × □ = □
7 × □ = □
➔ □ + □ = □

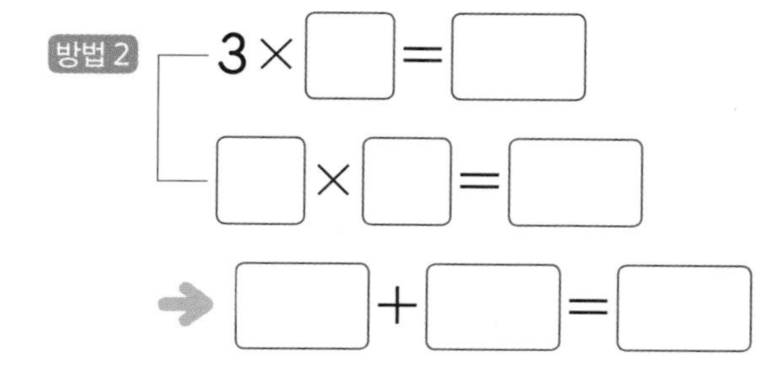

3

영훈이와 민재는 과녁판에 화살을 7개씩 쏘아 얻은 점수가 높은 사람이 이기는 게임을 했습니다. 누가 이겼는지 알아보세요.

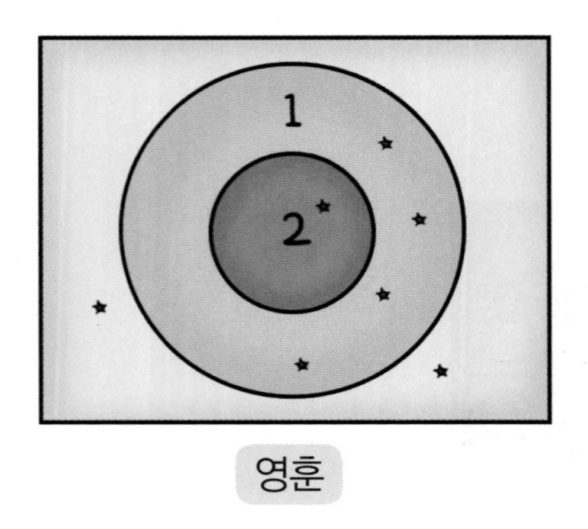

영훈

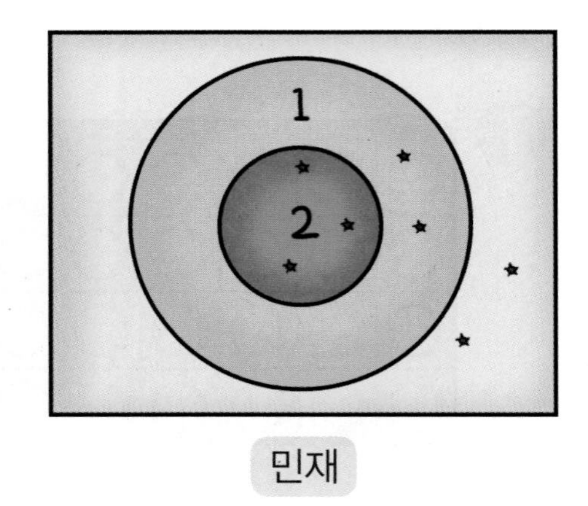

민재

1. 영훈이가 얻은 점수는 몇 점일까요?

   (　　　　　　　　)

2. 민재가 얻은 점수는 몇 점일까요?

   (　　　　　　　　)

3. 누가 이겼을까요?

   (　　　　　　　　)

정답과 풀이 p.21

4 **성냥개비를 이용하여 그림과 같은 삼각형 8개와 사각형 6개를 만들려고 합니다. 필요한 성냥개비는 모두 몇 개인지 구해 보세요. (단, 도형을 이어 붙여서 만들지 않습니다.)**

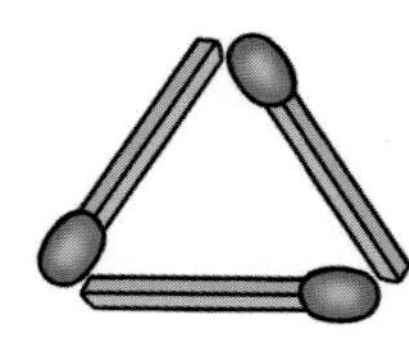 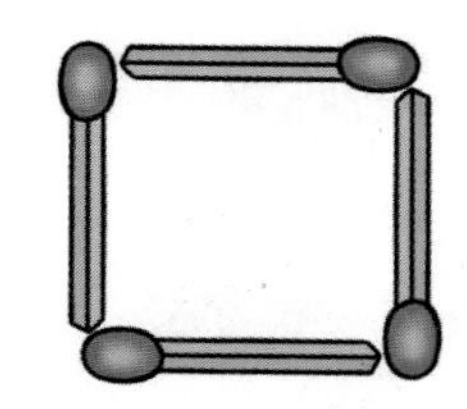

① 삼각형 8개를 만드는 데 필요한 성냥개비는 몇 개일까요?

( )

② 사각형 6개를 만드는 데 필요한 성냥개비는 몇 개일까요?

( )

③ 삼각형 8개와 사각형 6개를 만드는 데 필요한 성냥개비는 모두 몇 개일까요?

( )

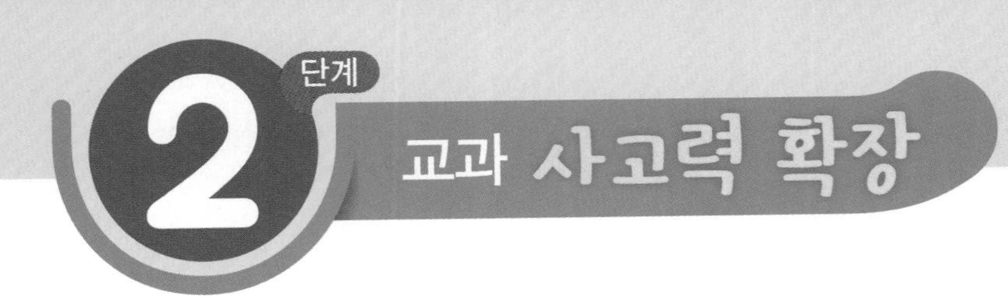

1 **동물의 전체 다리 수가 같은 것끼리 선으로 이어 보세요.**

정답과 풀이 p.22

2 보기의 규칙을 보고 빈 곳에 알맞은 수를 써넣으세요.

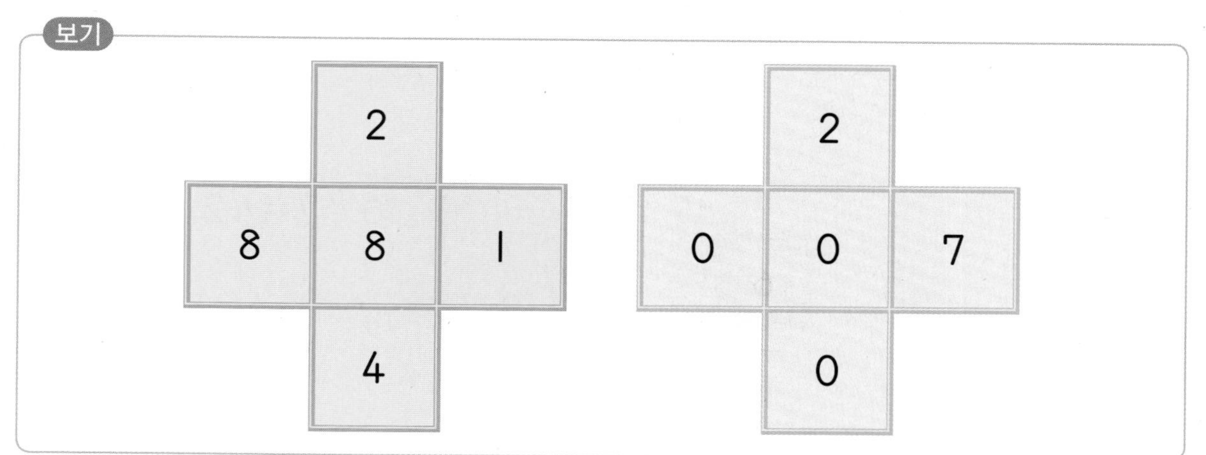

❶

	6	
8	24	

❷

	16	8
	4	

❸

	3	
		2
	6	

❹

	9	
6		6

3

보기 와 같이 아래에 있는 두 수의 곱이 위에 있는 수입니다. 빈 곳에 알맞은 수를 써넣으세요. (단, 빈 곳에는 한 자리 수만 들어갑니다.)

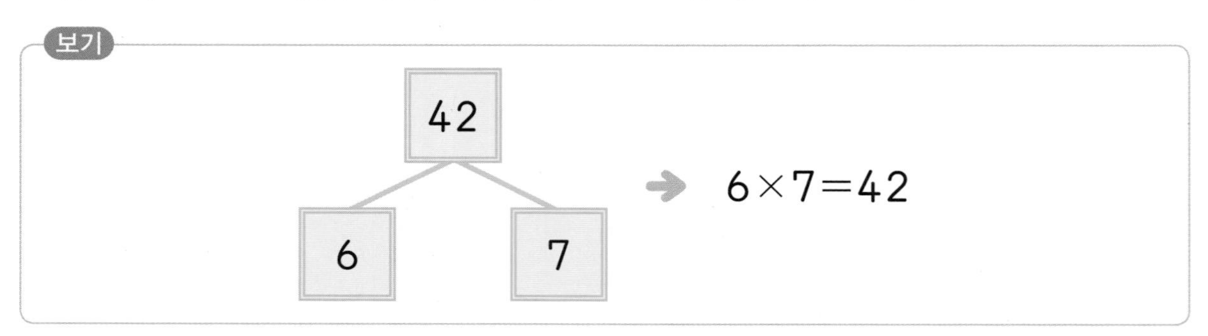

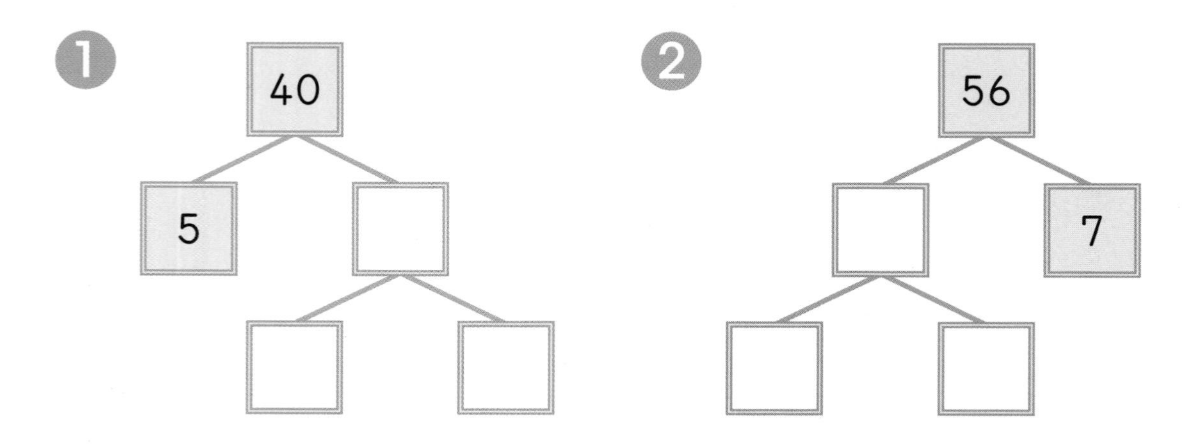

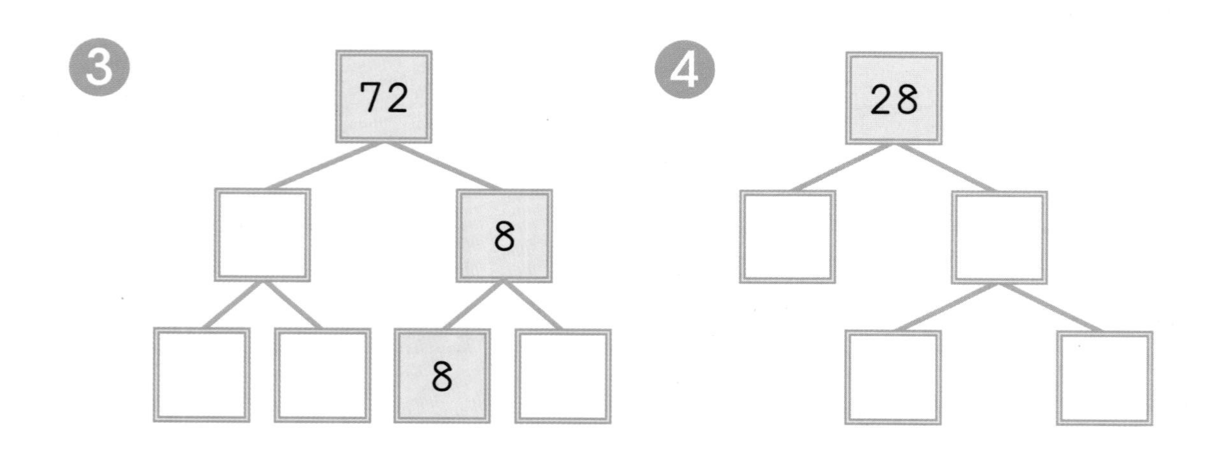

4 왼쪽 곱과 오른쪽 곱의 합이 같도록 선으로 이어 보세요.

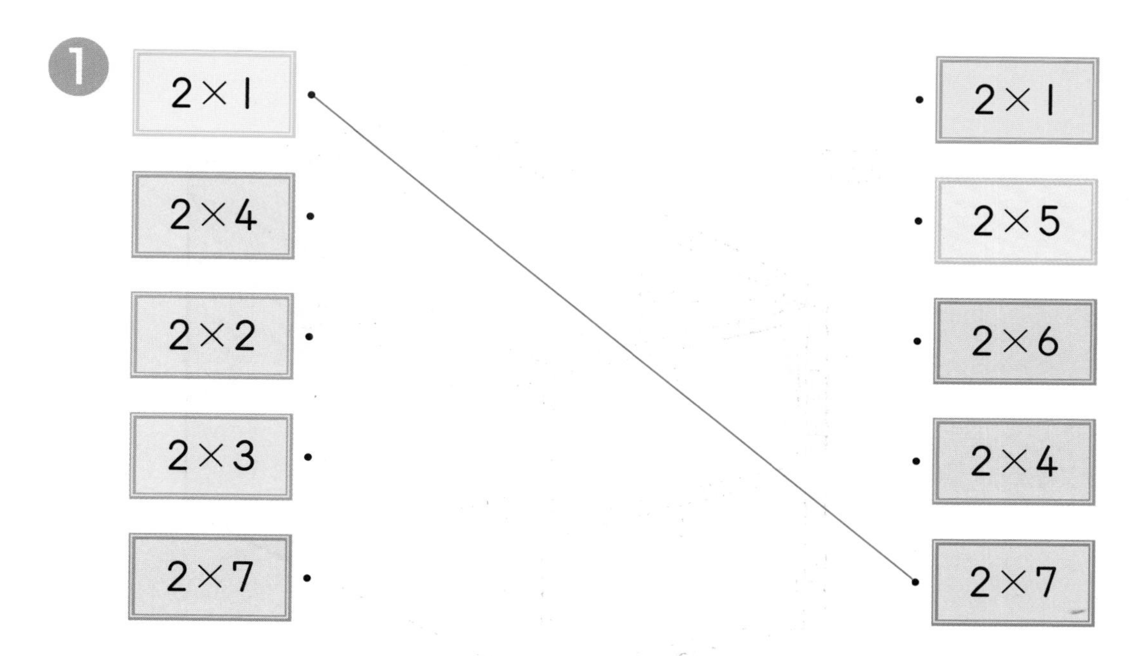

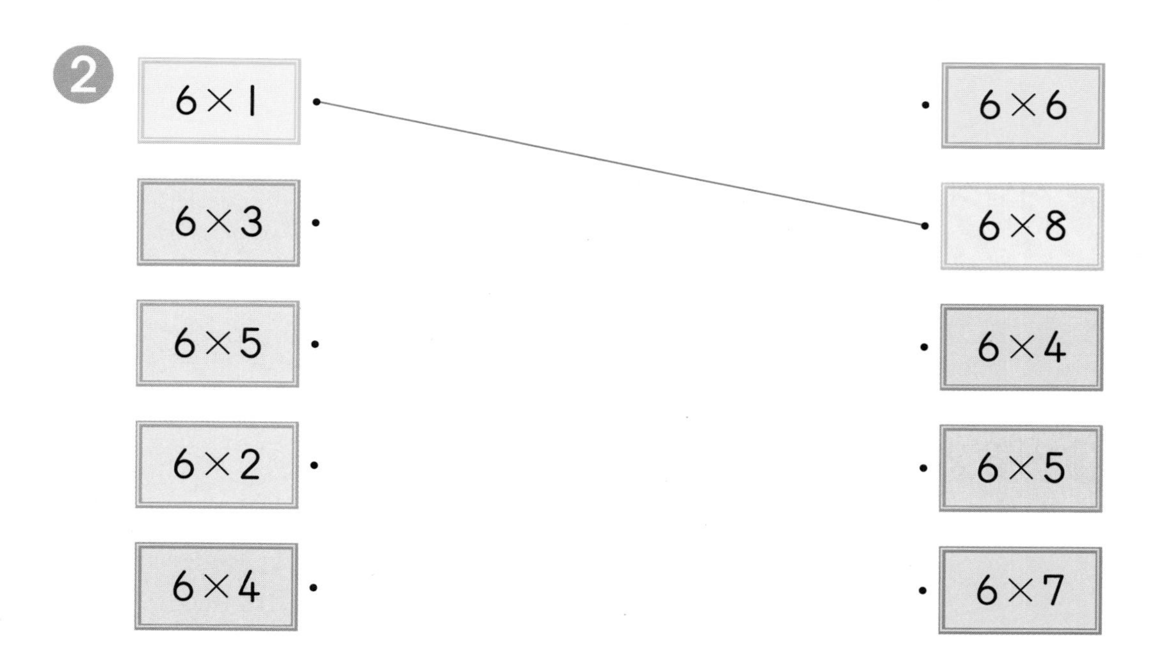

3단계 교과 사고력 완성

평가 영역 ☑개념 이해력 □개념 응용력 □창의력 ☑문제 해결력

1 왼쪽 막대의 길이는 9 cm입니다. 서랍장의 가로, 세로, 높이의 합을 구해 보세요.

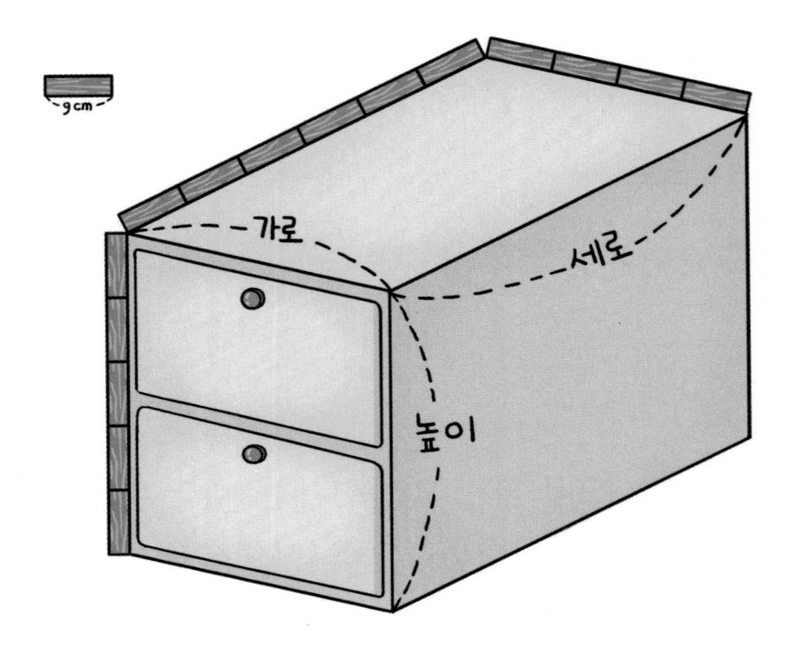

1 서랍장의 가로는 몇 cm일까요?

( )

2 서랍장의 세로는 몇 cm일까요?

( )

3 서랍장의 높이는 몇 cm일까요?

( )

4 서랍장의 가로, 세로, 높이의 합은 몇 cm일까요?

( )

평가 영역 □개념 이해력 ☑개념 응용력 ☑창의력 □문제 해결력

2

그림과 같이 면봉으로 같은 크기의 삼각형 4개로 이루어진 모양을 하나 만들었습니다. 이와 같은 모양을 몇 개 만들어서 같은 크기의 삼각형이 모두 12개가 되었을 때 사용한 면봉은 모두 몇 개인지 구해 보세요.

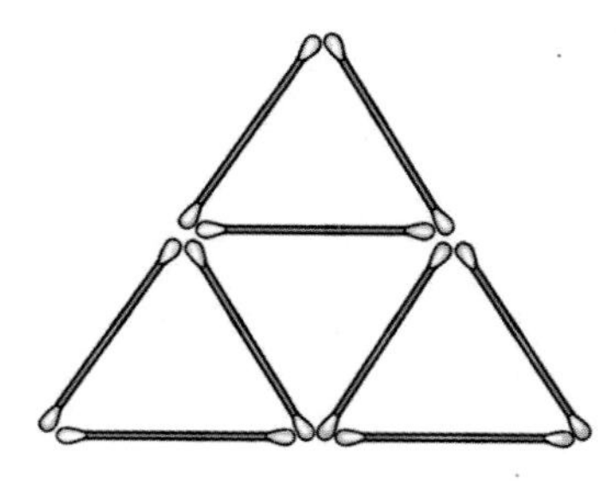

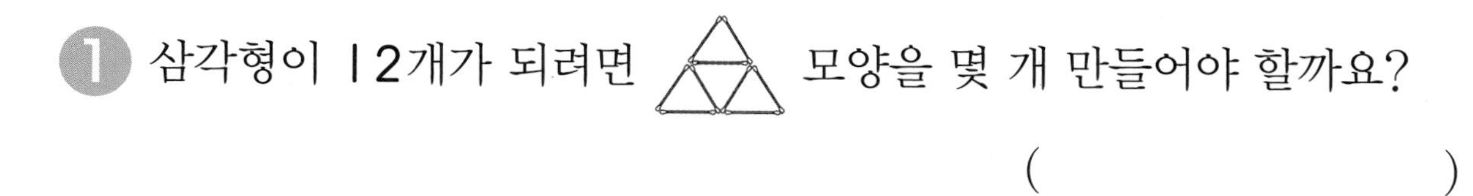

① 삼각형이 12개가 되려면 모양을 몇 개 만들어야 할까요?

(　　　　　　)

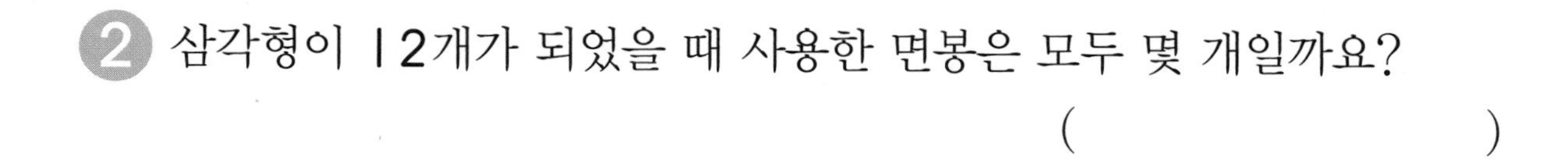

② 삼각형이 12개가 되었을 때 사용한 면봉은 모두 몇 개일까요?

(　　　　　　)

평가 영역 □개념 이해력 ☑개념 응용력 ☑창의력 □문제 해결력

3

그림과 같이 면봉으로 같은 크기의 사각형 4개로 이루어진 모양을 하나 만들었습니다. 이와 같은 모양을 몇 개 만들어서 같은 크기의 사각형이 모두 12개가 되었을 때 사용한 면봉은 모두 몇 개인지 구해 보세요.

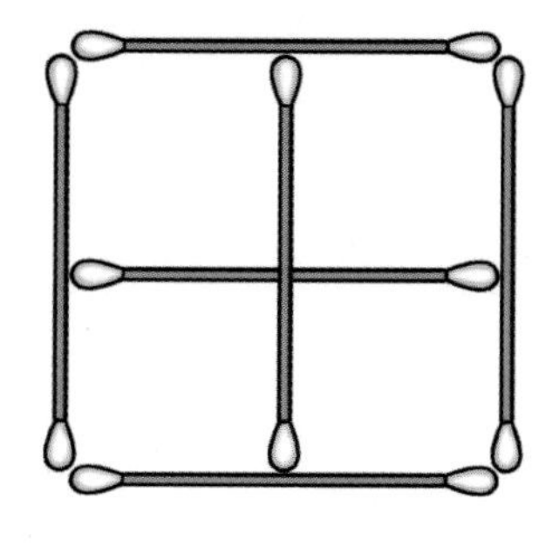

(　　　　　　)

맞은 개수

1 그림을 보고 알맞은 곱셈식으로 나타내어 보세요.

3 × ☐ = ☐

2 ☐ 안에 알맞은 수를 써넣으세요.

(1) 4 × 7 = ☐

(2) 6 × 5 = ☐

(3) 9 × 2 = ☐

(4) 8 × 8 = ☐

3 곱셈식을 수직선에 나타내고 ☐ 안에 알맞은 수를 써넣으세요.

4 × 6 = ☐

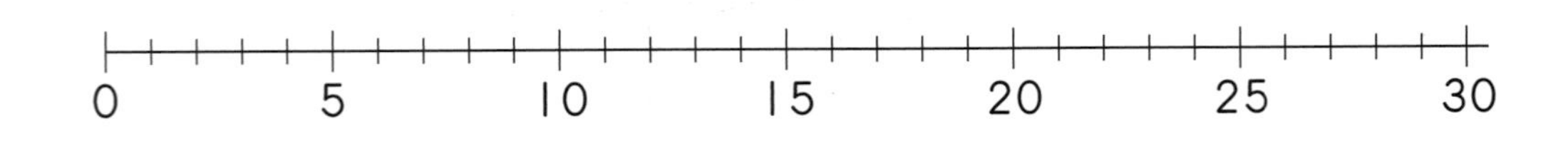

4 6단 곱셈구구를 완성해 보세요.

6 × 1 = 6	6 × □ = 36
6 × 2 = □	6 × 7 = □
6 × □ = 18	6 × □ = 48
6 × 4 = □	6 × 9 = □
6 × □ = 30	

5 빈칸에 알맞은 수를 써넣으세요.

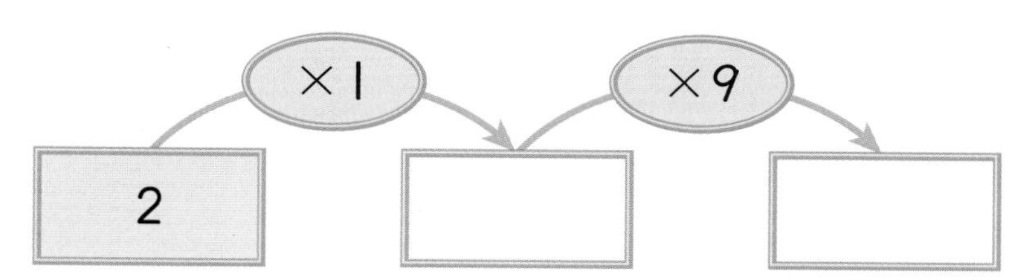

6 빈칸에 알맞은 수를 써넣으세요.

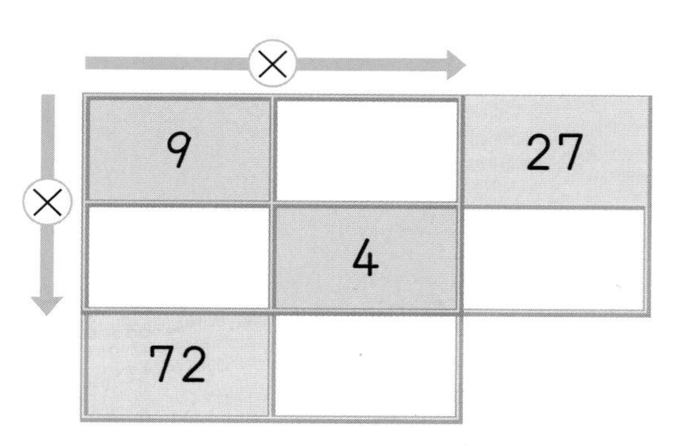

[7~8] 곱셈표를 보고 물음에 답하세요.

×	5	6	7	8	9
5	25		35		45
6				48	
7			49		
8					72

7
빈칸에 알맞은 수를 써넣어 곱셈표를 완성해 보세요.

8
곱셈표에서 8×6과 곱이 같은 곱셈구구를 써 보세요.

(　　　　　　　　)

9
□ 안에 공통으로 알맞은 수는 어떤 수일까요?

9×□=9　　□×3=3

(　　　　　　　　)

10
곱의 크기를 비교하여 ○ 안에 >, =, <를 알맞게 써넣으세요.

7×7 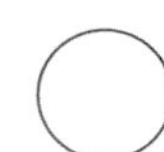 8×5

11 곱이 큰 것부터 순서대로 기호를 써 보세요.

㉠ 7×0	㉡ 2×6
㉢ 4×4	㉣ 8×1

(　　　　　　　　)

12 ㉠과 ㉡에 알맞은 수의 합을 구해 보세요.

- $8\times$㉠$=56$
- ㉡$\times6=36$

(　　　　　　　　)

13 운동장에 한 모둠에 8명씩 6모둠이 서 있습니다. 운동장에 서 있는 학생은 모두 몇 명일까요?

(　　　　　　　　)

14 수 카드 3장 중 2장을 골라 한 번씩 사용하여 두 수의 곱을 구하려고 합니다. 가장 큰 곱을 구해 보세요.

(　　　　　　　　)

15 아래에 있는 두 수의 곱이 위에 있는 수입니다. 빈 곳에 알맞은 수를 써넣으세요.

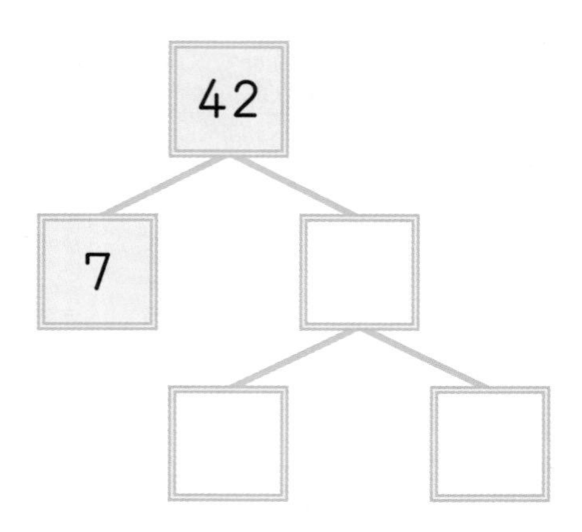

16 연필 한 자루의 길이는 5 cm입니다. 수첩의 긴 쪽의 길이는 짧은 쪽의 길이보다 몇 cm 더 길까요?

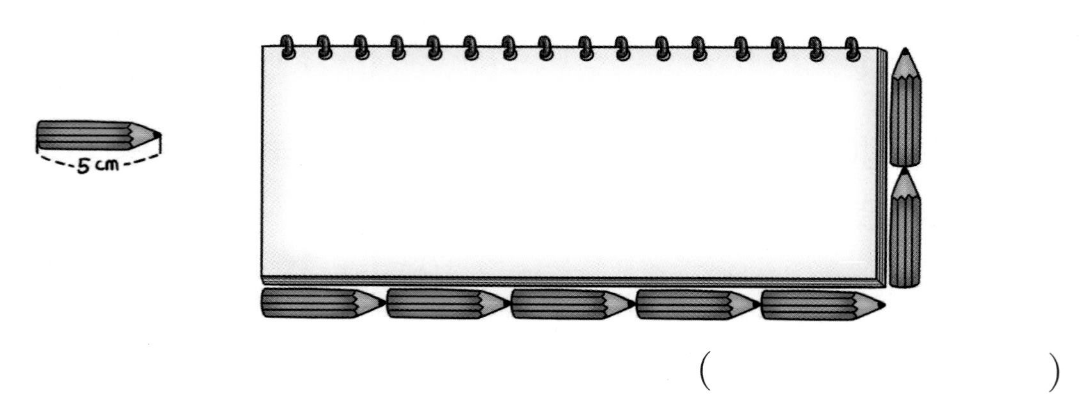

(　　　　　　)

17 혜미는 9살입니다. 혜미 아버지의 나이는 혜미 나이의 6배보다 7살 적습니다. 혜미 아버지는 몇 살일까요?

(　　　　　　)

특강 창의·융합 사고력

정답과 풀이 p.24

1 7단 곱셈구구의 값을 찾아 선으로 이어 보세요.

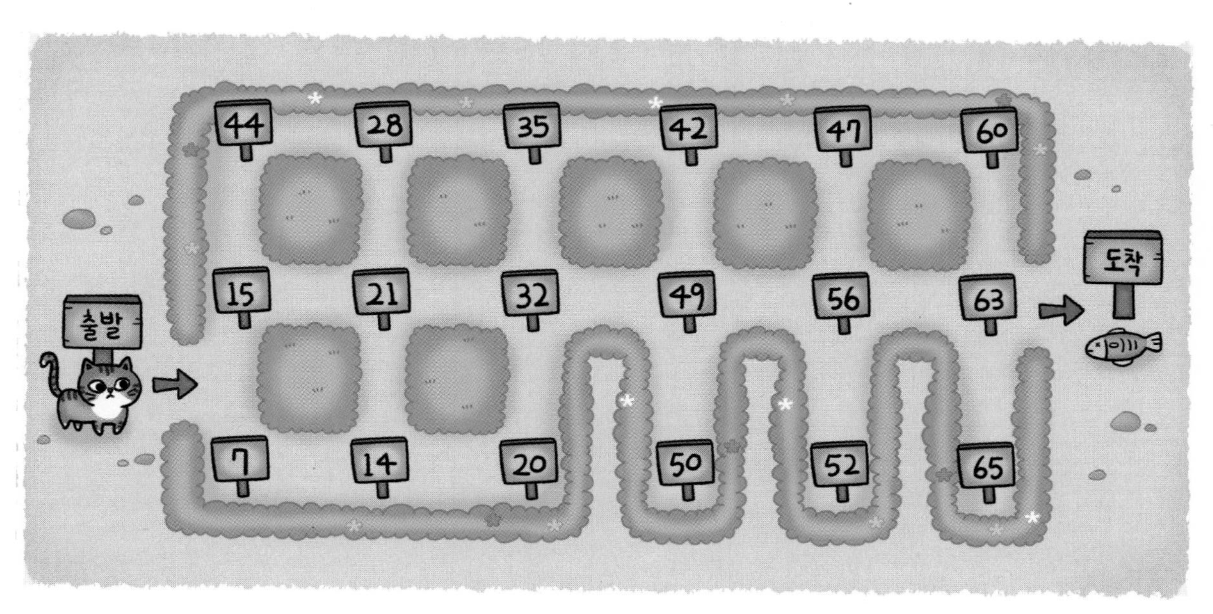

4주 평가

2 세형이와 승기는 수 카드를 각각 8번씩 뽑아서 카드에 적힌 수만큼 점수를 얻는 놀이를 하였습니다. 누가 몇 점 더 높은지 구해 보세요.

카드에 적힌 수	0	1	2	3
뽑은 횟수(번)	2	1	3	2

카드에 적힌 수	0	1	2	3
뽑은 횟수(번)	1	3	3	1

세형

승기

( ), ( )

Memo

2-2 Run - A호 Play 붙임딱지

문제의 알맞은 곳에 붙임딱지를 붙여보세요.

14~15쪽

1000 1004 2021

2053 2517 3000 4000

4300 4825 5000 5005

6903 7095 7905 8050

8215 8246 9000 9009

16~17쪽

2793 2795 2796 2797

2798 2799 2800 2801 6038

6048 6058 6068 6078 6088 6098

3045 3245 3345 3445 3545

3645 3745 3845 3050 4050

5050 6050 7050 8050 9050

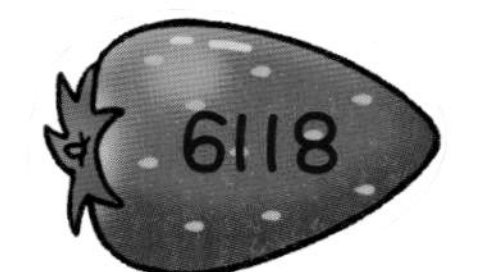

자르는 선

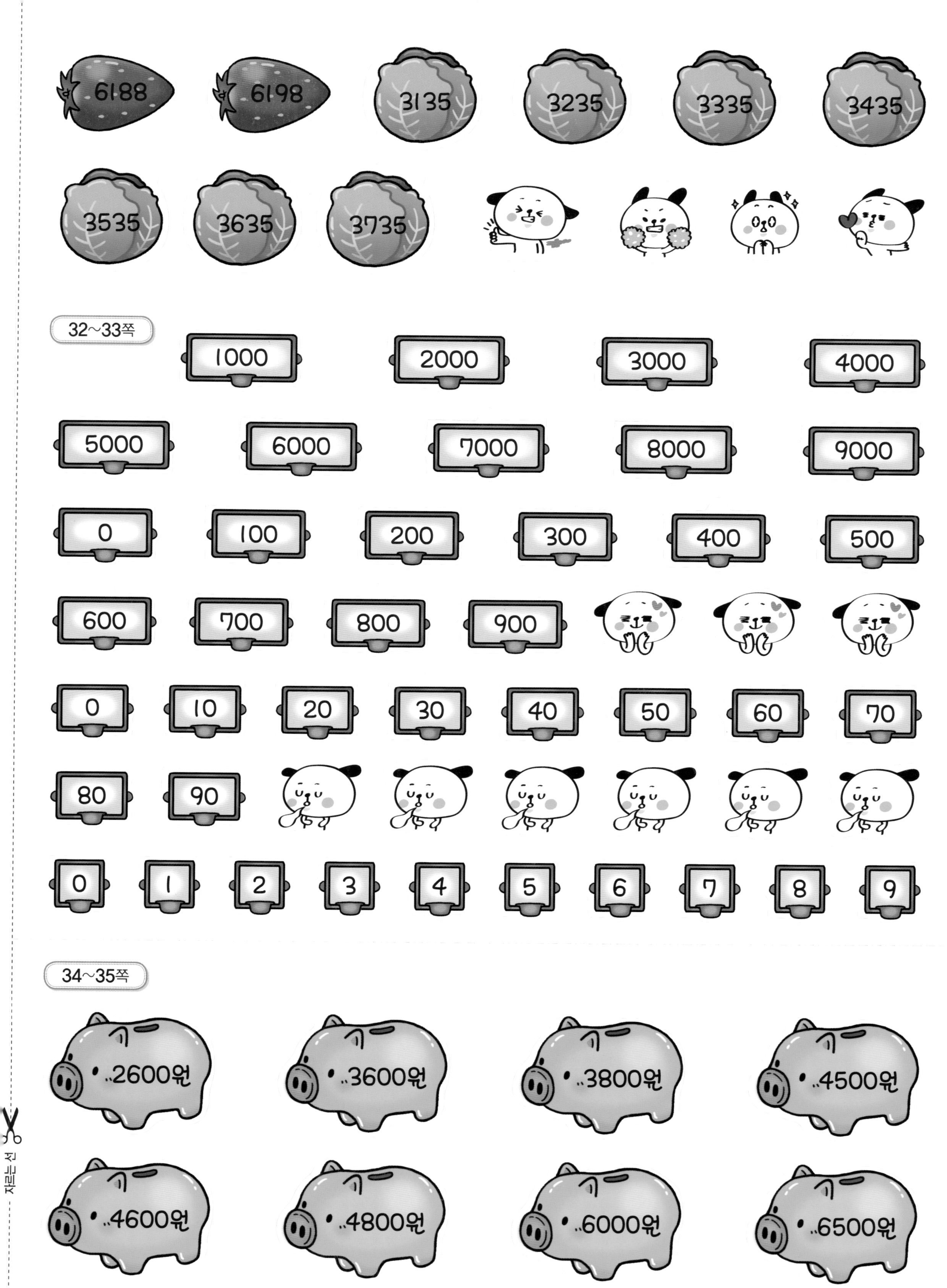
6188
6198
3135
3235
3335
3435
3535
3635
3735
32~33쪽
1000
2000
3000
4000
5000
6000
7000
8000
9000
0
100
200
300
400
500
600
700
800
900
0
10
20
30
40
50
60
70
80
90
0
1
2
3
4
5
6
7
8
9
34~35쪽
2600원
3600원
3800원
4500원
4600원
4800원
6000원
6500원
자르는 선

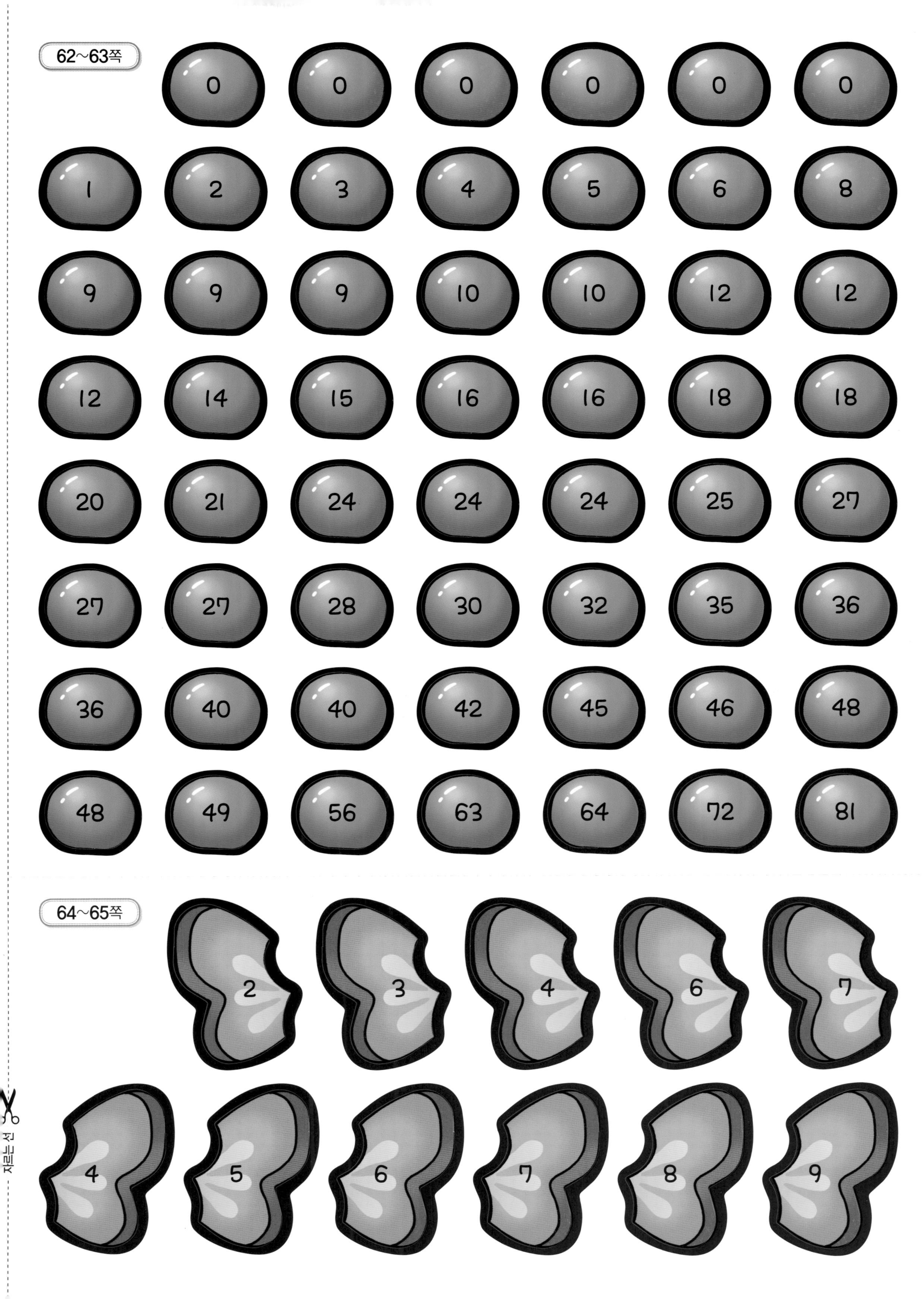
62~63쪽
0 0 0 0 0 0
1 2 3 4 5 6 8
9 9 9 10 10 12 12
12 14 15 16 16 18 18
20 21 24 24 24 25 27
27 27 28 30 32 35 36
36 40 40 42 45 46 48
48 49 56 63 64 72 81
64~65쪽
2 3 4 6 7
4 5 6 7 8 9
자르는 선

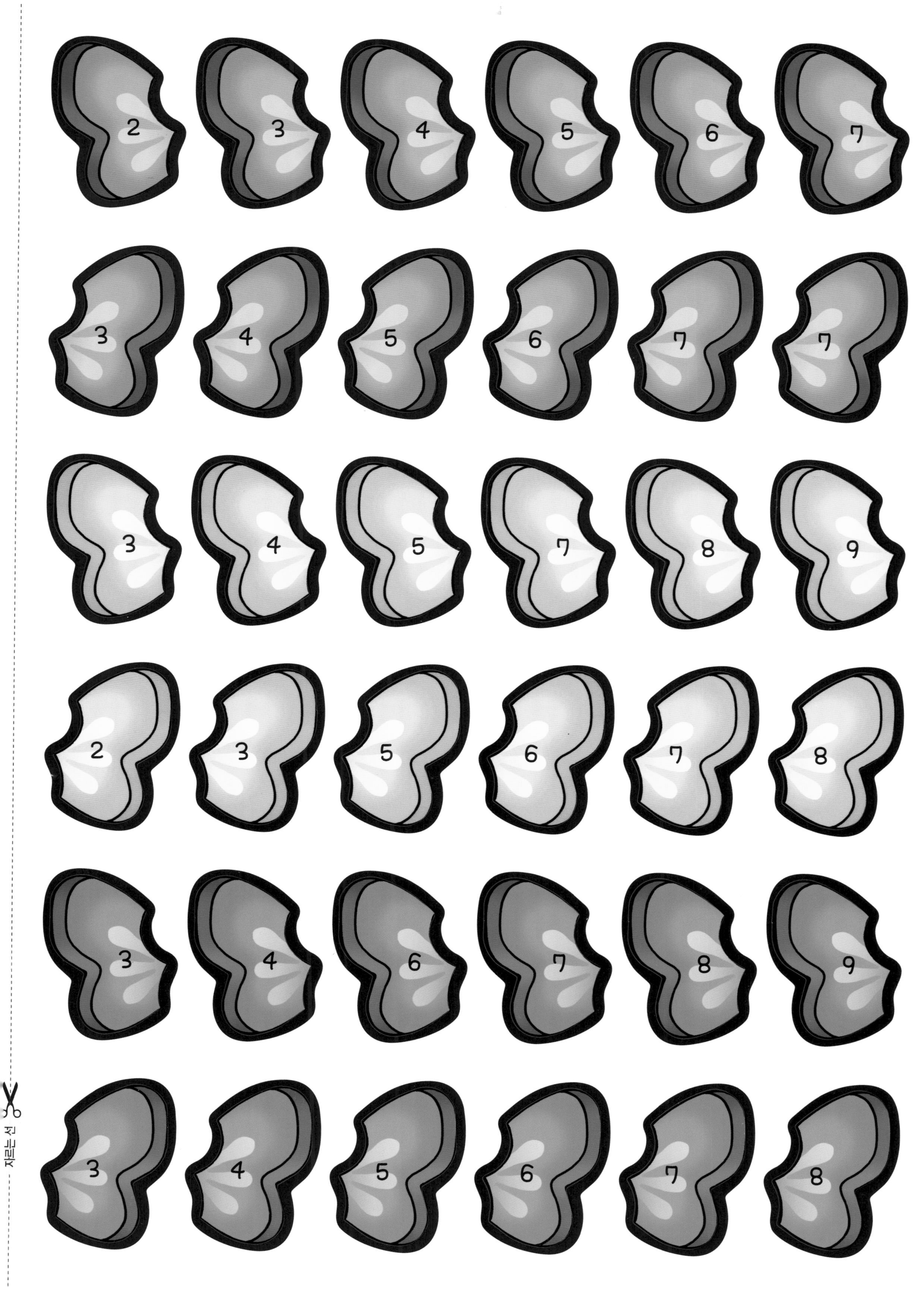
2 3 4 5 6 7
3 4 5 6 7 7
3 4 5 7 8 9
2 3 5 6 7 8
3 4 6 7 8 9
3 4 5 6 7 8
자르는 선

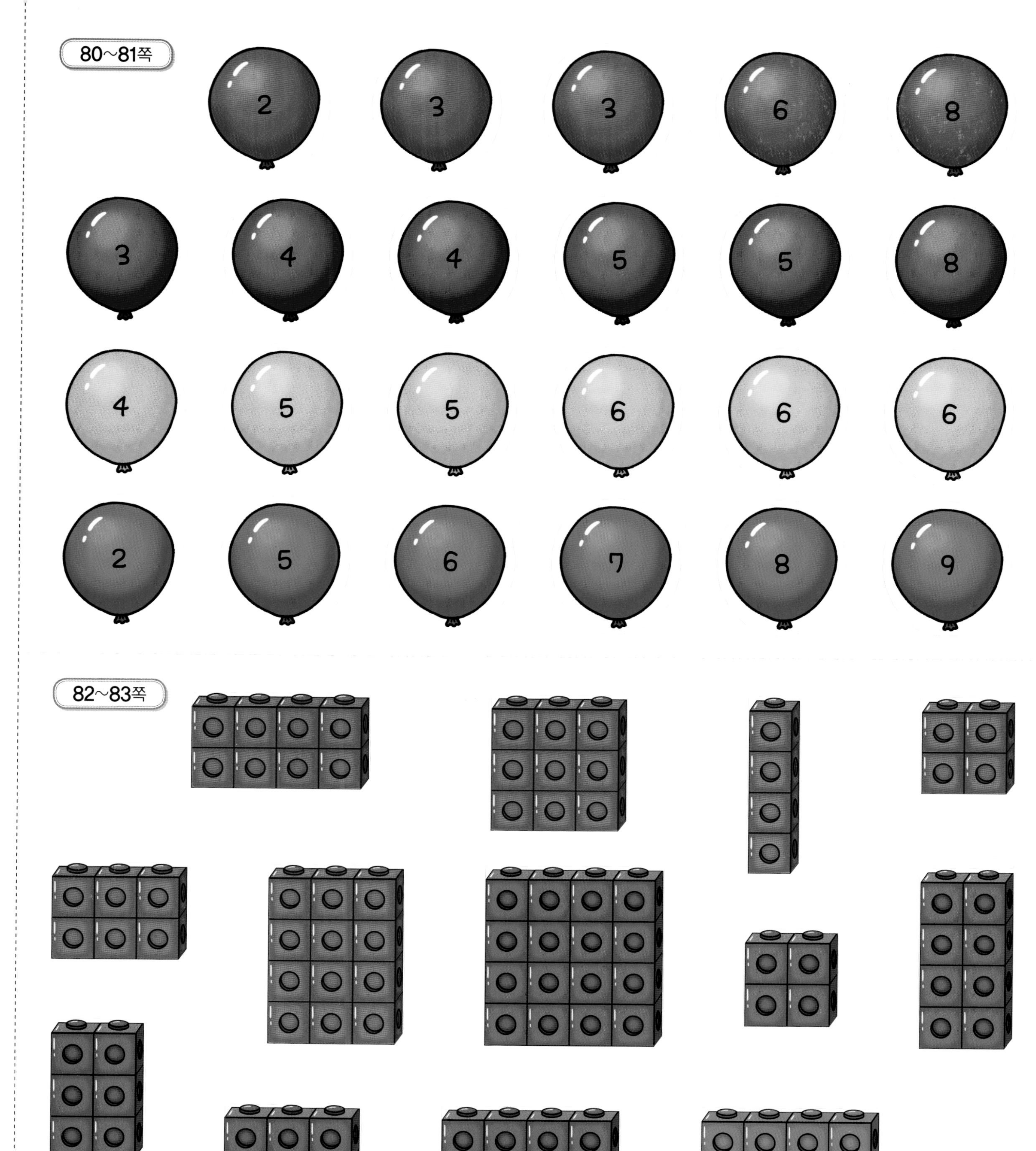

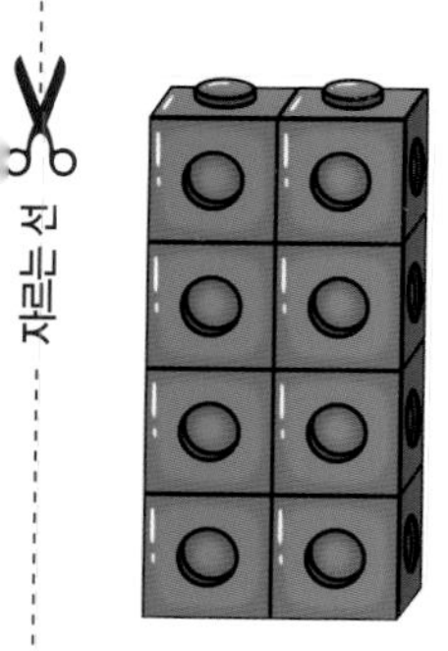

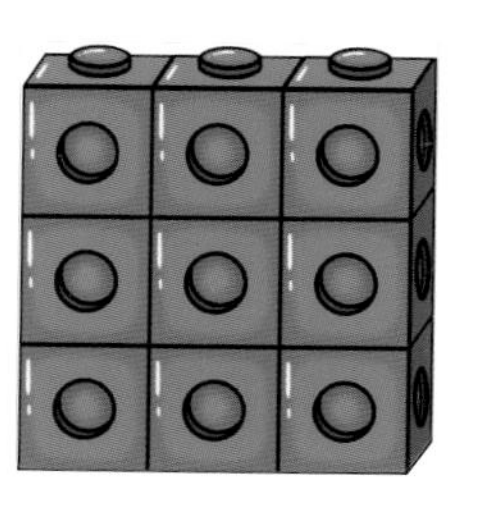

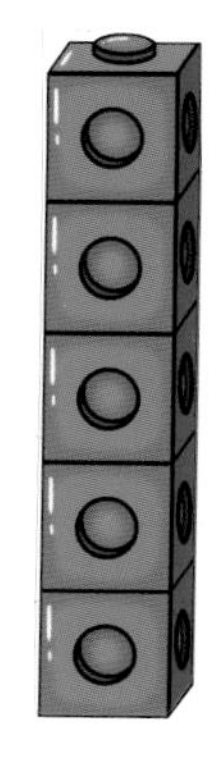

자르는 선

GO!
야쓰

GO!

사고력 중심

교과서 GO! 사고력 GO!

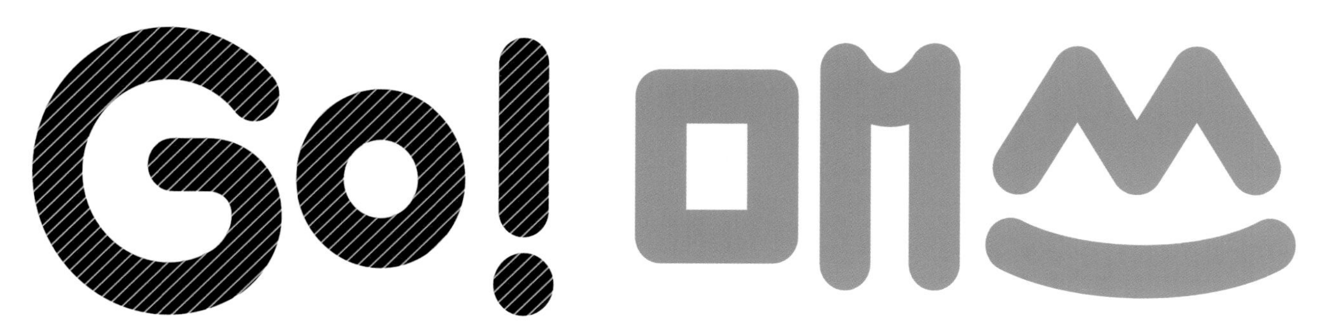

정답과 풀이

수학 2-2

열심히
풀었으니까,
한 번 맞춰 볼까?

1 네 자리 수

네 자리 수로 표현하기

영미는 한 달 동안 엄마의 심부름을 열심히 해서 받은 돈을 돼지 저금통에 저금을 하였습니다. 영미가 한 달 동안 저금한 돈은 얼마인지 알아볼까요?

1000원짜리 지폐는 얼마인지 알아보세요.

 → 3000원

100원짜리 동전은 얼마인지 알아보세요.

 → 500원

10원짜리 동전은 얼마인지 알아보세요.

 → 40원

→ 영미가 한 달 동안 저금한 돈은 모두 3540원입니다.

과자의 가격과 같은 금액을 찾아 선으로 이어 보세요.

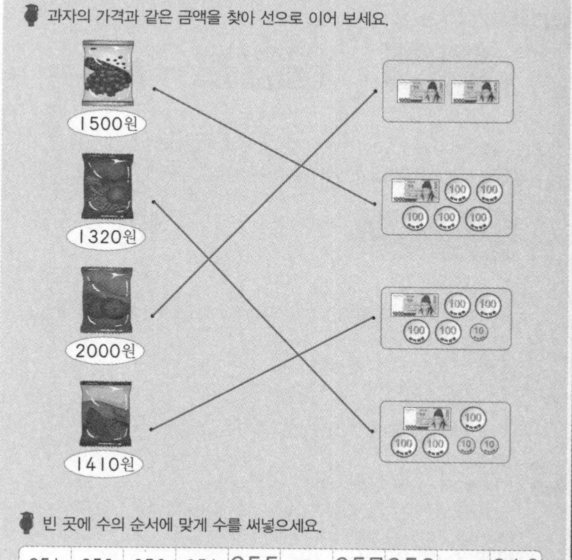

빈 곳에 수의 순서에 맞게 수를 써넣으세요.

951	952	953	954	955	956	957	958	959	960
961	962	963	964	965	966	967	968	969	970
971	972	973	974	975	976	977	978	979	980
981	982	983	984	985	986	987	988	989	990
991	992	993	994	995	996	997	998	999	1000

1단계 교과서 개념 잡기

개념 1 100이 10개인 수 알아보기

- 100이 10개이면 1000입니다.
- 1000은 천이라고 읽습니다.

참고 1000은 ─ 900보다 100만큼 더 큰 수
─ 990보다 10만큼 더 큰 수
─ 999보다 1만큼 더 큰 수

개념 2 몇천 알아보기

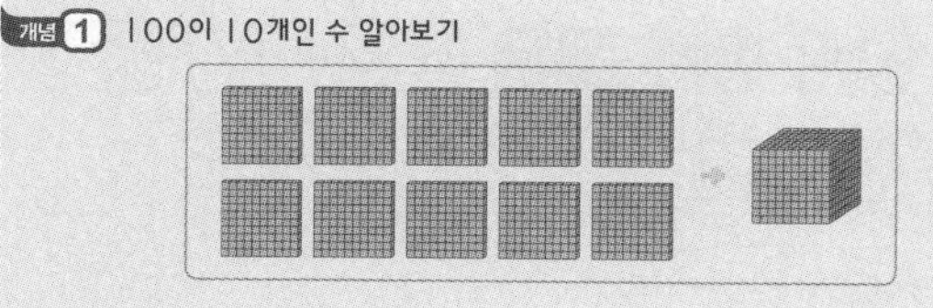

- 1000이 3개이면 3000입니다.
- 3000은 삼천이라고 읽습니다.

수	쓰기	읽기
1000이 2개인 수	2000	이천
1000이 3개인 수	3000	삼천
1000이 4개인 수	4000	사천
1000이 5개인 수	5000	오천
1000이 6개인 수	6000	육천
1000이 7개인 수	7000	칠천
1000이 8개인 수	8000	팔천
1000이 9개인 수	9000	구천

개념 확인 문제

정답과 풀이 p.1

1-1 □ 안에 알맞은 수를 써넣으세요.

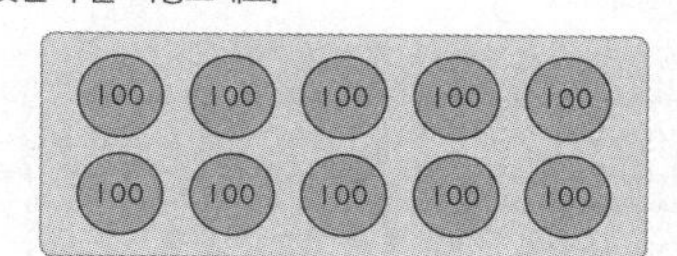

→ 100이 10개이면 1000입니다.

✤ 100이 10개이면 1000입니다.

1-2 □ 안에 알맞은 수를 써넣으세요.

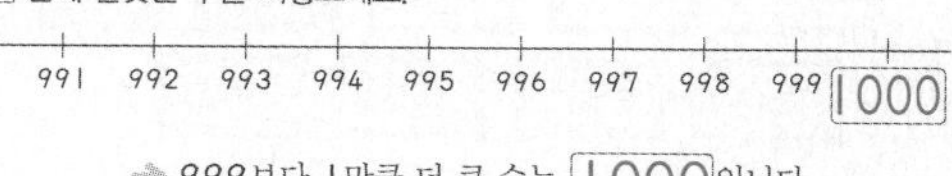

→ 999보다 1만큼 더 큰 수는 1000입니다.

2-1 다음을 수로 써 보세요.

(1) 이천 (2000)

(2) 팔천 (8000)

2-2 수 모형을 보고 □ 안에 알맞은 수나 말을 써넣으세요.

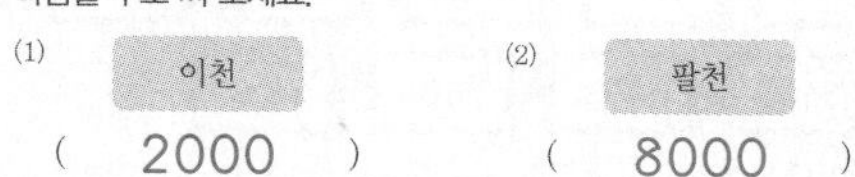

→ 1000이 4개이면 4000이고 사천이라고 읽습니다.

✤ 1000이 4개이면 4000이고 4000은 사천이라고 읽습니다.

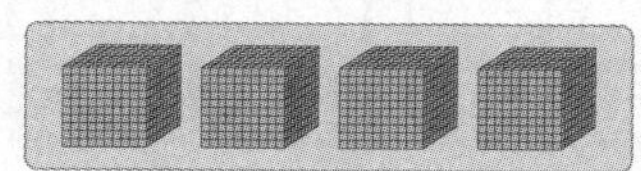

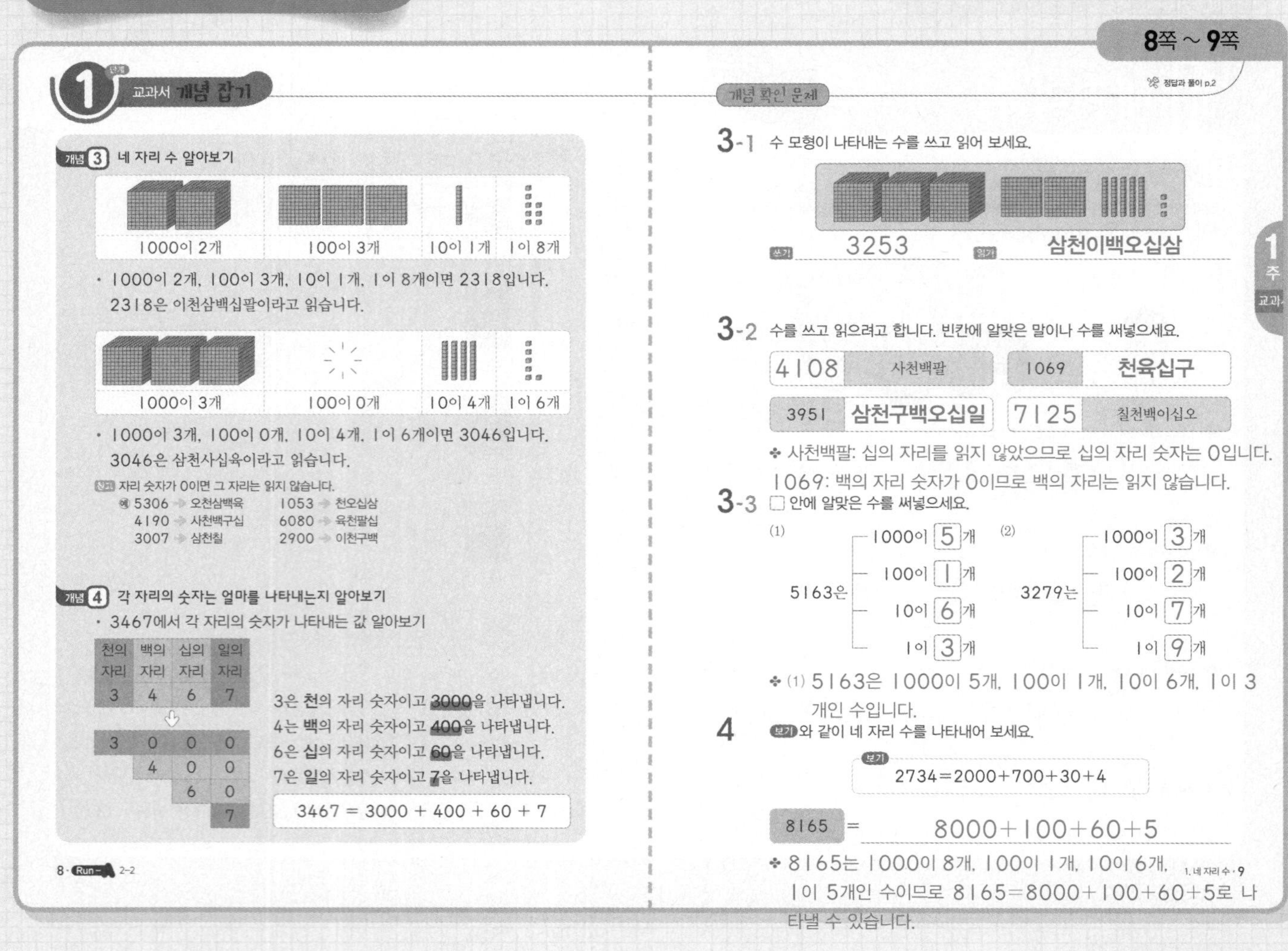

8쪽 ~ 9쪽

1 단계 교과서 개념 잡기

개념 3 네 자리 수 알아보기

1000이 2개 | 100이 3개 | 10이 1개 | 1이 8개

- 1000이 2개, 100이 3개, 10이 1개, 1이 8개이면 2318입니다. 2318은 이천삼백십팔이라고 읽습니다.

1000이 3개 | 100이 0개 | 10이 4개 | 1이 6개

- 1000이 3개, 100이 0개, 10이 4개, 1이 6개이면 3046입니다. 3046은 삼천사십육이라고 읽습니다.

참고 자리 숫자가 0이면 그 자리는 읽지 않습니다.
예 5306 → 오천삼백육, 1053 → 천오십삼
4190 → 사천백구십, 6080 → 육천팔십
3007 → 삼천칠, 2900 → 이천구백

개념 4 각 자리의 숫자는 얼마를 나타내는지 알아보기

- 3467에서 각 자리의 숫자가 나타내는 값 알아보기

천의 자리	백의 자리	십의 자리	일의 자리
3	4	6	7
3	0	0	0
	4	0	0
		6	0
			7

3은 천의 자리 숫자이고 3000을 나타냅니다.
4는 백의 자리 숫자이고 400을 나타냅니다.
6은 십의 자리 숫자이고 60을 나타냅니다.
7은 일의 자리 숫자이고 7을 나타냅니다.

3467 = 3000 + 400 + 60 + 7

8 · Run-A 2-2

개념 확인 문제 — 정답과 풀이 p.2

3-1 수 모형이 나타내는 수를 쓰고 읽어 보세요.
쓰기 3253 읽기 삼천이백오십삼

3-2 수를 쓰고 읽으려고 합니다. 빈칸에 알맞은 말이나 수를 써넣으세요.
4108 사천백팔 | 1069 천육십구
3951 삼천구백오십일 | 7125 칠천백이십오
✤ 사천백팔: 십의 자리를 읽지 않았으므로 십의 자리 숫자는 0입니다.
1069: 백의 자리 숫자가 0이므로 백의 자리는 읽지 않습니다.

3-3 □ 안에 알맞은 수를 써넣으세요.
(1) 5163은 1000이 5개, 100이 1개, 10이 6개, 1이 3개
(2) 3279는 1000이 3개, 100이 2개, 10이 7개, 1이 9개
✤ (1) 5163은 1000이 5개, 100이 1개, 10이 6개, 1이 3개인 수입니다.

4 보기와 같이 네 자리 수를 나타내어 보세요.
보기 2734=2000+700+30+4
8165 = 8000+100+60+5
✤ 8165는 1000이 8개, 100이 1개, 10이 6개, 1이 5개인 수이므로 8165=8000+100+60+5로 나타낼 수 있습니다.

1주 교과서

1. 네 자리 수 · 9

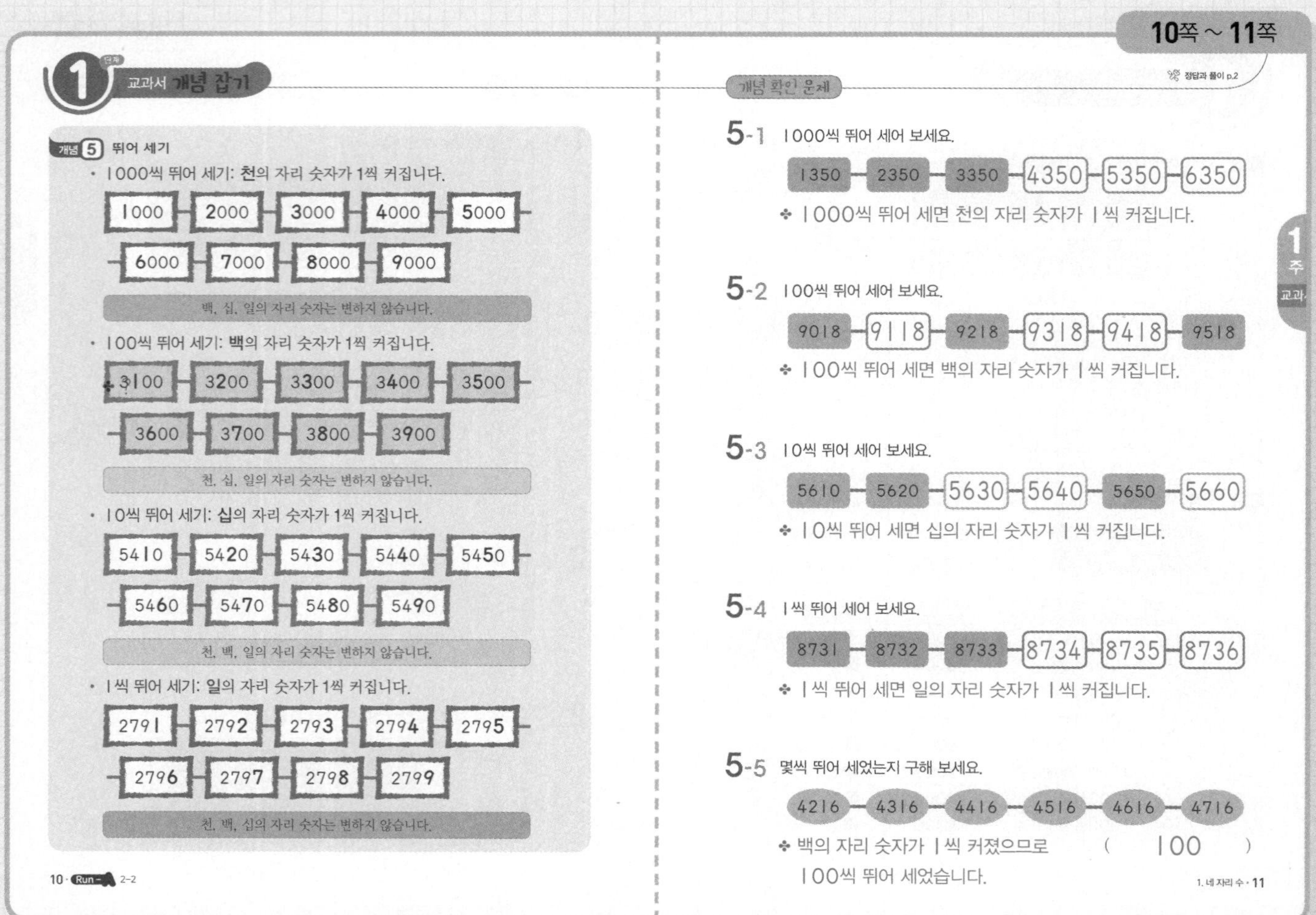

10쪽 ~ 11쪽

1 단계 교과서 개념 잡기

개념 5 뛰어 세기

- 1000씩 뛰어 세기: 천의 자리 숫자가 1씩 커집니다.
1000 - 2000 - 3000 - 4000 - 5000 - 6000 - 7000 - 8000 - 9000
백, 십, 일의 자리 숫자는 변하지 않습니다.
- 100씩 뛰어 세기: 백의 자리 숫자가 1씩 커집니다.
3100 - 3200 - 3300 - 3400 - 3500 - 3600 - 3700 - 3800 - 3900
천, 십, 일의 자리 숫자는 변하지 않습니다.
- 10씩 뛰어 세기: 십의 자리 숫자가 1씩 커집니다.
5410 - 5420 - 5430 - 5440 - 5450 - 5460 - 5470 - 5480 - 5490
천, 백, 일의 자리 숫자는 변하지 않습니다.
- 1씩 뛰어 세기: 일의 자리 숫자가 1씩 커집니다.
2791 - 2792 - 2793 - 2794 - 2795 - 2796 - 2797 - 2798 - 2799
천, 백, 십의 자리 숫자는 변하지 않습니다.

10 · Run-A 2-2

개념 확인 문제 — 정답과 풀이 p.2

5-1 1000씩 뛰어 세어 보세요.
1350 - 2350 - 3350 - 4350 - 5350 - 6350
✤ 1000씩 뛰어 세면 천의 자리 숫자가 1씩 커집니다.

5-2 100씩 뛰어 세어 보세요.
9018 - 9118 - 9218 - 9318 - 9418 - 9518
✤ 100씩 뛰어 세면 백의 자리 숫자가 1씩 커집니다.

5-3 10씩 뛰어 세어 보세요.
5610 - 5620 - 5630 - 5640 - 5650 - 5660
✤ 10씩 뛰어 세면 십의 자리 숫자가 1씩 커집니다.

5-4 1씩 뛰어 세어 보세요.
8731 - 8732 - 8733 - 8734 - 8735 - 8736
✤ 1씩 뛰어 세면 일의 자리 숫자가 1씩 커집니다.

5-5 몇씩 뛰어 세었는지 구해 보세요.
4216 - 4316 - 4416 - 4516 - 4616 - 4716
✤ 백의 자리 숫자가 1씩 커졌으므로 100씩 뛰어 세었습니다. (100)

1주 교과서

1. 네 자리 수 · 11

12쪽 ~ 13쪽

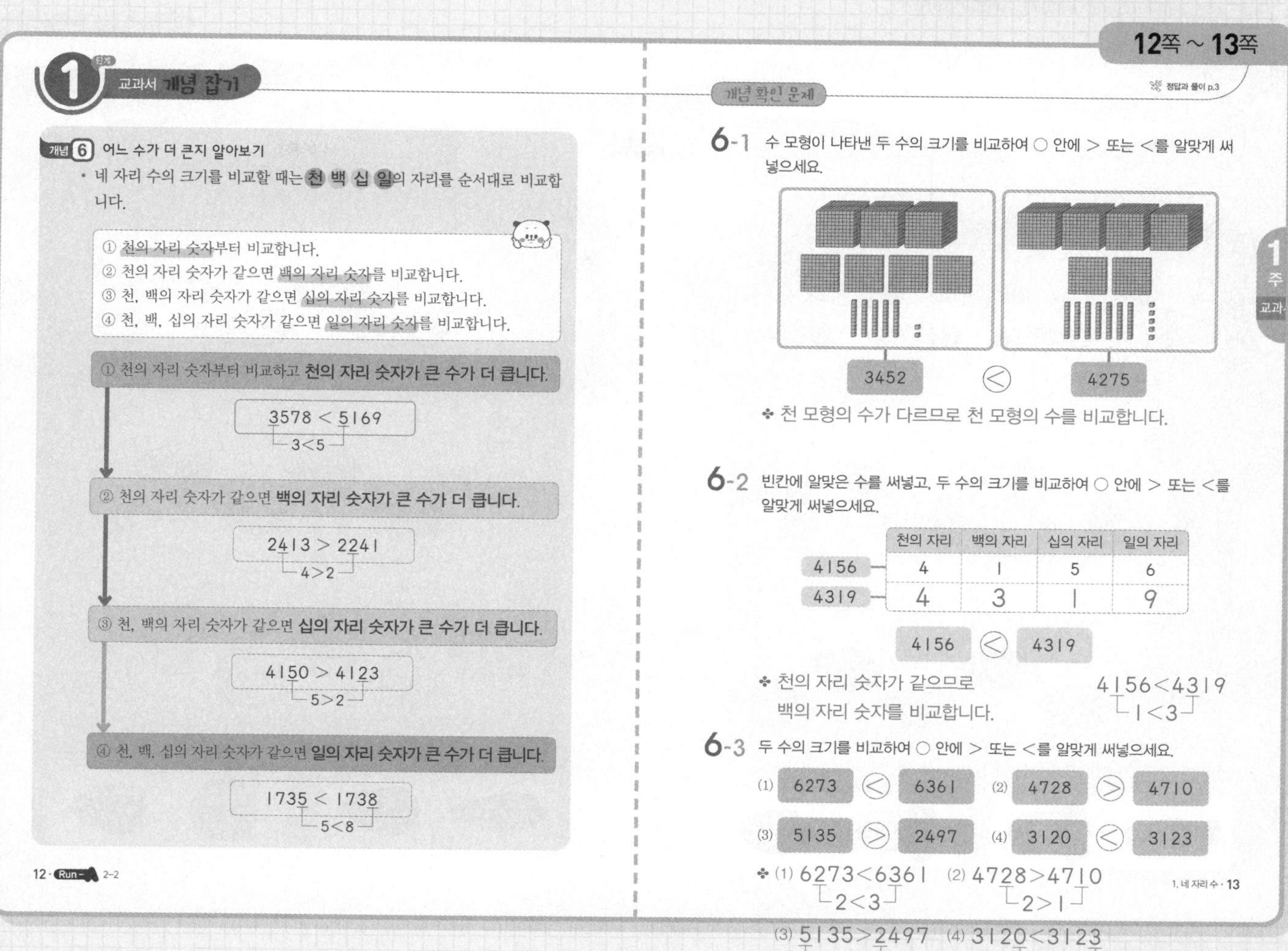

1단계 교과서 개념 잡기

개념 6 어느 수가 더 큰지 알아보기

- 네 자리 수의 크기를 비교할 때는 천 백 십 일의 자리를 순서대로 비교합니다.

① 천의 자리 숫자부터 비교합니다.
② 천의 자리 숫자가 같으면 백의 자리 숫자를 비교합니다.
③ 천, 백의 자리 숫자가 같으면 십의 자리 숫자를 비교합니다.
④ 천, 백, 십의 자리 숫자가 같으면 일의 자리 숫자를 비교합니다.

① 천의 자리 숫자부터 비교하고 **천의 자리 숫자가 큰 수가 더 큽니다.**

3578 < 5169 (3<5)

② 천의 자리 숫자가 같으면 **백의 자리 숫자가 큰 수가 더 큽니다.**

2413 > 2241 (4>2)

③ 천, 백의 자리 숫자가 같으면 **십의 자리 숫자가 큰 수가 더 큽니다.**

4150 > 4123 (5>2)

④ 천, 백, 십의 자리 숫자가 같으면 **일의 자리 숫자가 큰 수가 더 큽니다.**

1735 < 1738 (5<8)

개념 확인 문제

정답과 풀이 p.3

6-1 수 모형이 나타낸 두 수의 크기를 비교하여 ○ 안에 > 또는 <를 알맞게 써넣으세요.

3452 ⓛ 4275 → 3452 < 4275

✤ 천 모형의 수가 다르므로 천 모형의 수를 비교합니다.

6-2 빈칸에 알맞은 수를 써넣고, 두 수의 크기를 비교하여 ○ 안에 > 또는 <를 알맞게 써넣으세요.

	천의 자리	백의 자리	십의 자리	일의 자리
4156	4	1	5	6
4319	4	3	1	9

4156 < 4319

✤ 천의 자리 숫자가 같으므로 백의 자리 숫자를 비교합니다. 4156<4319 (1<3)

6-3 두 수의 크기를 비교하여 ○ 안에 > 또는 <를 알맞게 써넣으세요.

(1) 6273 < 6361 (2) 4728 > 4710
(3) 5135 > 2497 (4) 3120 < 3123

✤ (1) 6273<6361 (2<3) (2) 4728>4710 (2>1)
(3) 5135>2497 (5>2) (4) 3120<3123 (0<3)

14쪽 ~ 15쪽

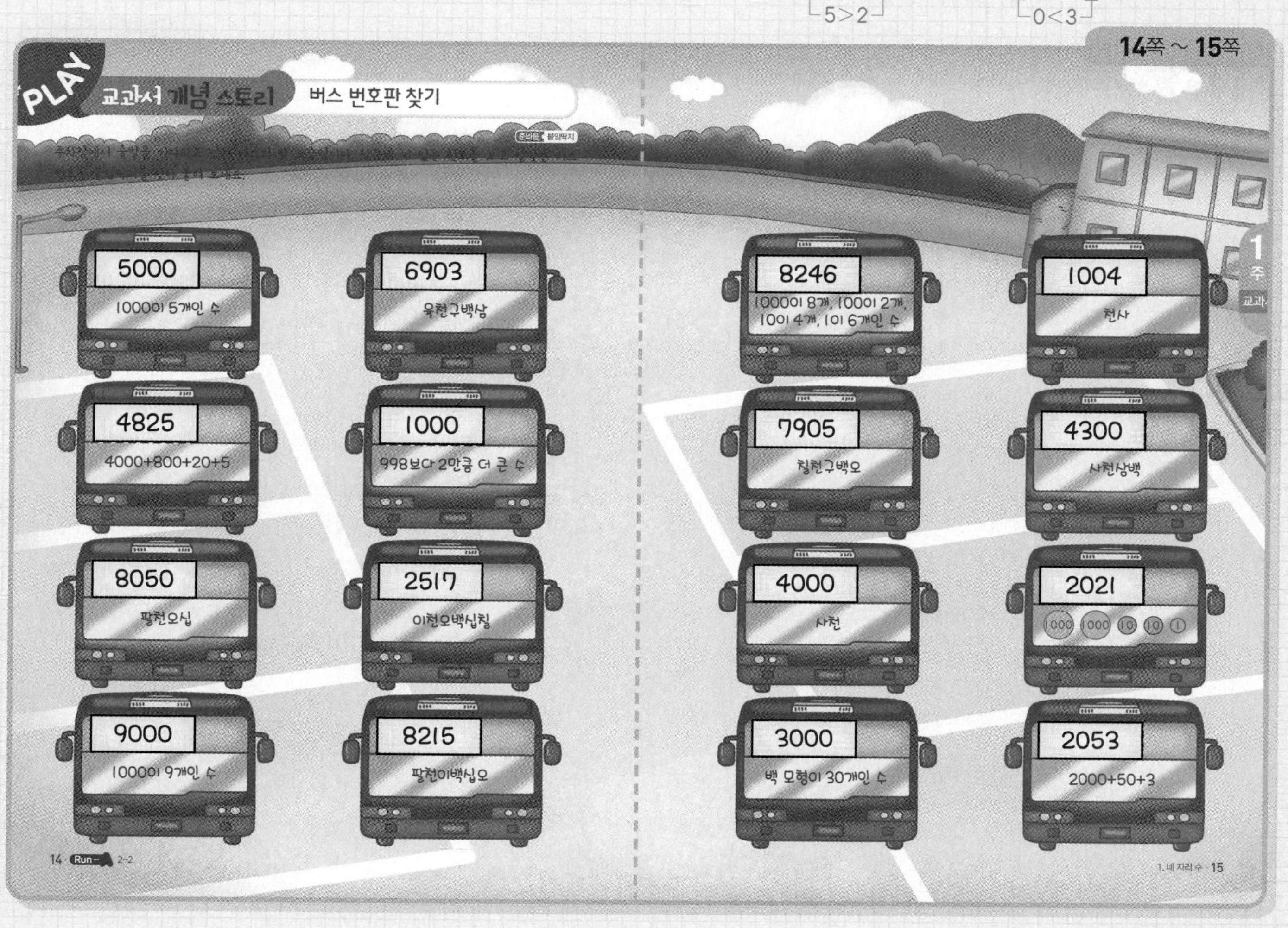

PLAY 교과서 개념 스토리 버스 번호판 찾기

5000	1000이 5개인 수
6903	육천구백삼
4825	4000+800+20+5
1000	998보다 2만큼 더 큰 수
8050	팔천오십
2517	이천오백십칠
9000	1000이 9개인 수
8215	팔천이백십오
8246	1000이 8개, 100이 2개, 10이 4개, 1이 6개인 수
1004	천사
7905	칠천구백오
4300	사천삼백
4000	사천
2021	(1000)(1000)(10)(10)(1)
3000	백 모형이 30개인 수
2053	2000+50+3

16쪽 ~ 17쪽

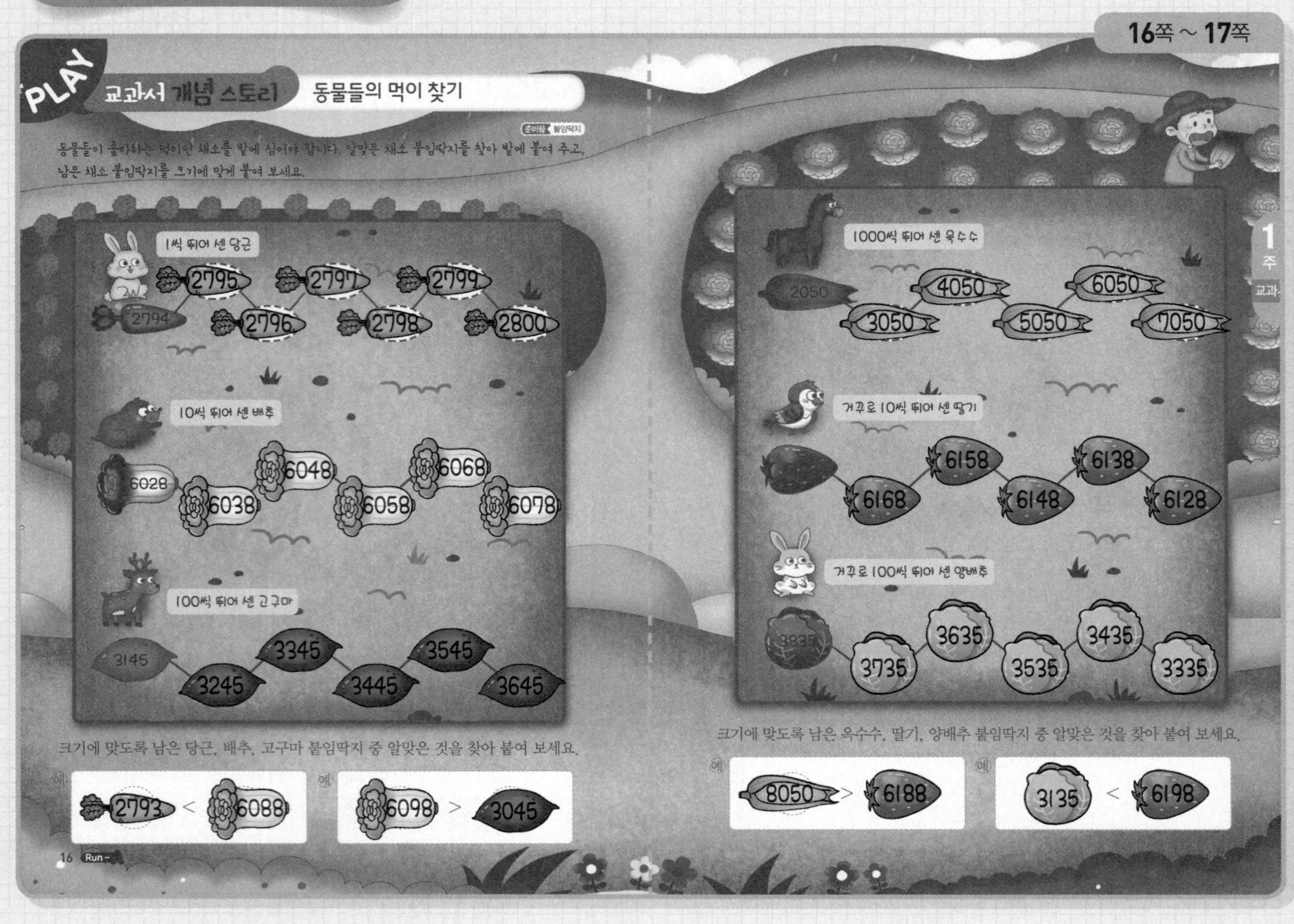

18쪽 ~ 19쪽

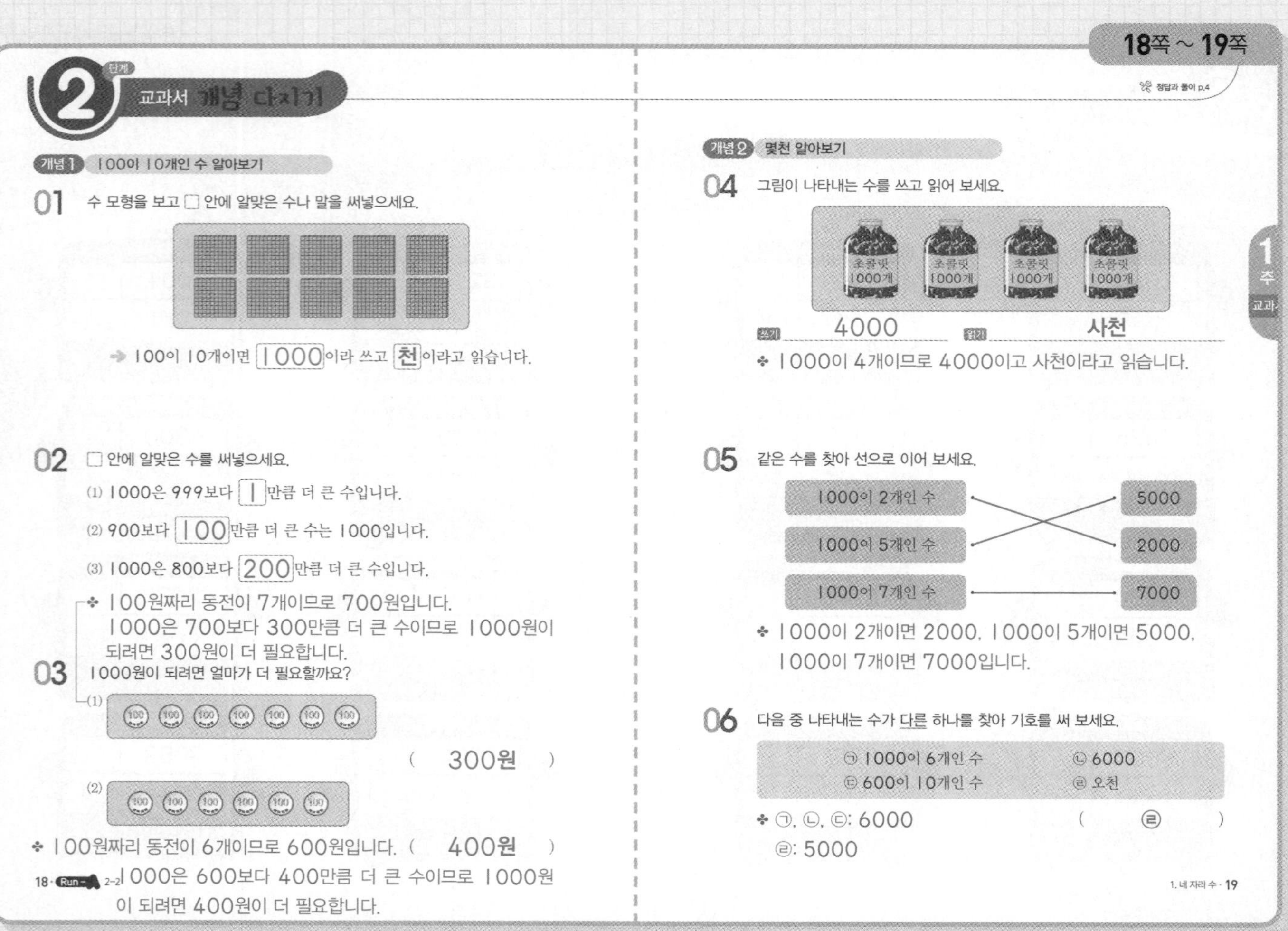

2단계 교과서 개념 다지기
정답과 풀이 p.4
개념 1 100이 10개인 수 알아보기
01 수 모형을 보고 □ 안에 알맞은 수나 말을 써넣으세요.
→ 100이 10개이면 1000이라 쓰고 천이라고 읽습니다.
02 □ 안에 알맞은 수를 써넣으세요.
(1) 1000은 999보다 1 만큼 더 큰 수입니다.
(2) 900보다 100 만큼 더 큰 수는 1000입니다.
(3) 1000은 800보다 200 만큼 더 큰 수입니다.
✤ 100원짜리 동전이 7개이므로 700원입니다. 1000은 700보다 300만큼 더 큰 수이므로 1000원이 되려면 300원이 더 필요합니다.
03 1000원이 되려면 얼마가 더 필요할까요?
(1) (300원)
(2) (400원)
✤ 100원짜리 동전이 6개이므로 600원입니다. 1000은 600보다 400만큼 더 큰 수이므로 1000원이 되려면 400원이 더 필요합니다.
개념 2 몇천 알아보기
04 그림이 나타내는 수를 쓰고 읽어 보세요.
초콜릿 1000개
쓰기 4000 읽기 사천
✤ 1000이 4개이므로 4000이고 사천이라고 읽습니다.
05 같은 수를 찾아 선으로 이어 보세요.
1000이 2개인 수 — 2000
1000이 5개인 수 — 5000
1000이 7개인 수 — 7000
✤ 1000이 2개이면 2000, 1000이 5개이면 5000, 1000이 7개이면 7000입니다.
06 다음 중 나타내는 수가 다른 하나를 찾아 기호를 써 보세요.
㉠ 1000이 6개인 수 ㉡ 6000
㉢ 600이 10개인 수 ㉣ 오천
(㉣)
✤ ㉠, ㉡, ㉢: 6000
㉣: 5000

정답과 풀이 p.5

개념 3 네 자리 수 알아보기

07 그림이 나타내는 수를 쓰고 읽어 보세요.

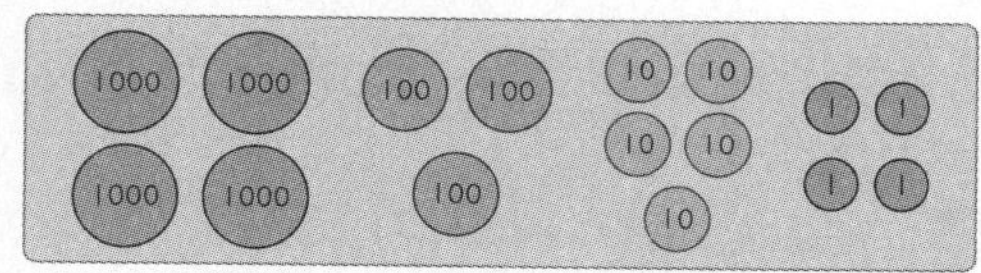

쓰기 4354 읽기 사천삼백오십사

✤ 1000이 4개이면 4000, 100이 3개이면 300, 10이 5개이면 50, 1이 4개이면 4이므로 4354이고 사천삼백오십사라고 읽습니다.

08 다음이 나타내는 수를 쓰고 읽어 보세요.

1000이 7개, 100이 5개, 10이 3개, 1이 9개인 수

쓰기 7539 읽기 칠천오백삼십구

✤ 1000이 7개이면 7000, 100이 5개이면 500, 10이 3개이면 30, 1이 9개이면 9이므로 7539이고 칠천오백삼십구라고 읽습니다.

09 5602를 바르게 읽은 사람은 누구일까요?

오천육백영십이
오천육백이
수근
지원

(지원)

✤ 십의 자리 숫자가 0이므로 읽지 않습니다.
따라서 5602는 오천육백이라고 읽습니다.

개념 4 각 자리의 숫자가 나타내는 값 알아보기

10 왼쪽 네 자리 수의 각 자리 숫자와 나타내는 값을 빈칸에 써넣으세요.

3516 →

	숫자	나타내는 값
천의 자리	3	3000
백의 자리	5	500
십의 자리	1	10
일의 자리	6	6

✤ • 천의 자리 숫자 3은 3000을 나타냅니다.
• 백의 자리 숫자 5는 500을 나타냅니다.
• 십의 자리 숫자 1은 10을 나타냅니다.
• 일의 자리 숫자 6은 6을 나타냅니다.

11 다음 수를 각 자리의 숫자가 나타내는 값의 합으로 쓰려고 합니다. □ 안에 알맞은 수를 써넣으세요.

(1) 8697=8000+600+90+7

(2) 5023=5000+0+20+3

✤ (1) 천의 자리 숫자 8은 8000, 백의 자리 숫자 6은 600, 십의 자리 숫자 9는 90, 일의 자리 숫자 7은 7을 나타냅니다.
(2) 천의 자리 숫자 5는 5000, 백의 자리 숫자 0은 0, 십의 자리 숫자 2는 20, 일의 자리 숫자 3은 3을 나타냅니다.

12 숫자 6이 600을 나타내는 수를 찾아 써 보세요.

6130 2675 3162 9156
(6130 → 6000, 2675 → 600, 3162 → 60, 9156 → 6)

(2675)

✤ 백의 자리 숫자가 6인 수를 찾으면 2675입니다.

1주 교과서

2단계 교과서 개념 다지기

정답과 풀이 p.5

개념 5 뛰어 세기

13 주어진 수만큼 뛰어 세어 보세요.

(1) 1000씩 뛰어 세기

4150 – 5150 – 6150 – 7150 – 8150

(2) 10씩 뛰어 세기

2650 – 2660 – 2670 – 2680 – 2690

✤ (1) 1000씩 뛰어 세는 것이므로 천의 자리 숫자가 1씩 커집니다.
(2) 10씩 뛰어 세는 것이므로 십의 자리 숫자가 1씩 커집니다.

14 뛰어 세어 보세요.

(1) 2316 – 2317 – 2318 – 2319 – 2320

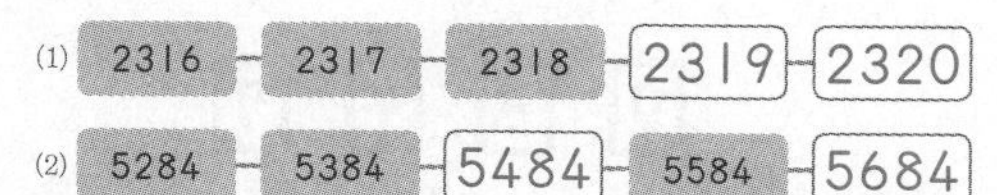

(2) 5284 – 5384 – 5484 – 5584 – 5684

✤ (1) 일의 자리 숫자가 1씩 커지므로 1씩 뛰어 센 것입니다.
(2) 백의 자리 숫자가 1씩 커지므로 100씩 뛰어 센 것입니다.

15 수 배열표에서 →, ↓는 각각 얼마씩 뛰어 센 것일까요?

2300	2400	2500	2600	2700
3300	3400	3500	3600	3700
4300	4400	4500	4600	4700
5300	5400	5500	5600	5700
6300	6400	6500	6600	6700

→ (100), ↓ (1000)

✤ →는 백의 자리 숫자가 1씩 커졌으므로 100씩 뛰어 센 것입니다.
↓는 천의 자리 숫자가 1씩 커졌으므로 1000씩 뛰어 센 것입니다.

개념 6 두 수의 크기 비교하기

16 두 수 중 더 큰 수에 ○표 하세요.

7024 (○)　6903 ( )

✤ 7024>6903 (7>6)

17 두 수의 크기를 비교하여 > 또는 <를 사용하여 나타내어 보세요.

5716　5347

(5716>5347 또는 5347<5716)

✤ 두 수의 천의 자리 숫자가 같으므로 백의 자리 숫자를 비교합니다.
5716>5347 (7>3)　5347<5716 (3<7)

18 학생별로 저금통에 들어 있는 돈을 나타낸 것입니다. 물음에 답하세요.

(1) 저금통에 들어 있는 돈이 가장 많은 학생은 누구일까요?

(수지)

(2) 저금통에 들어 있는 돈이 가장 적은 학생은 누구일까요?

(경진)

✤ 3100>2470>2190이므로 저금통에 들어 있는 돈이 가장 많은 사람은 수지이고, 가장 적은 사람은 경진이입니다. (3>2, 4>1)

1주 교과서

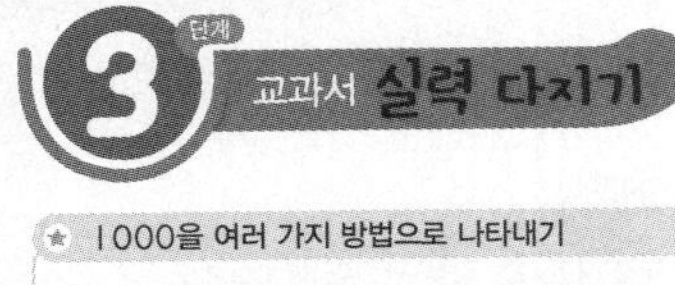

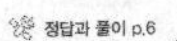

★ 1000을 여러 가지 방법으로 나타내기

1 혜진이는 다음과 같이 동전을 모았습니다. 1000원이 되려면 얼마가 더 있어야 할까요?

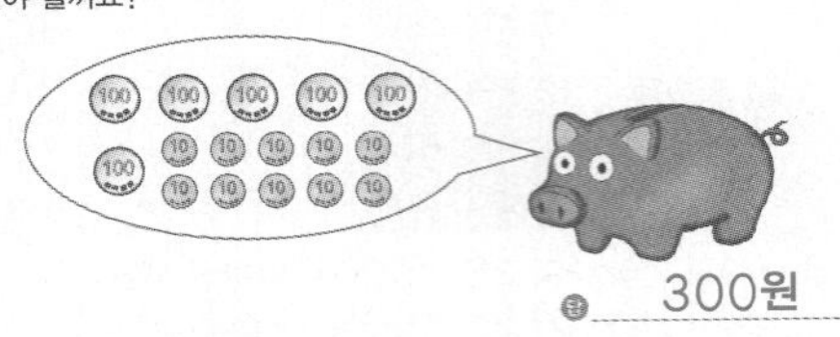

답 300원

개념 피드백

1000 — 900보다 100 / 800보다 200 / 700보다 300 / 600보다 400 만큼 더 큰 수 → 1000 — 900+100 / 800+200 / 700+300 / 600+400

✤ 혜진이는 700원을 가지고 있으므로 1000원이 되려면 300원이 더 있어야 합니다.

1-1 나타내는 수가 다른 하나를 찾아 기호를 써 보세요.

㉠ 900보다 100만큼 더 큰 수
㉡ 10이 100개인 수
㉢ 100보다 10만큼 더 큰 수
㉣ 999보다 1만큼 더 큰 수

(㉢)

✤ ㉠, ㉡, ㉣ → 1000
㉢ → 110

1-2 □ 안에 알맞은 수를 써넣으세요.

(1) 1000=800+[200] (2) 1000=950+[50]

✤ (1) 1000은 800보다 200만큼 더 큰 수입니다.
(2) 1000은 950보다 50만큼 더 큰 수입니다.

★ 각 자리의 숫자가 나타내는 값 알아보기

2 숫자 5가 나타내는 값이 가장 큰 수를 찾아 써 보세요.

1528 5067 3259 6175

답 5067

개념 피드백 • 같은 숫자라도 어느 자리에 있느냐에 따라 수로 나타내는 값이 다릅니다.

3333
- 천의 자리 숫자: 3000을 나타냅니다.
- 백의 자리 숫자: 300을 나타냅니다.
- 십의 자리 숫자: 30을 나타냅니다.
- 일의 자리 숫자: 3을 나타냅니다.

✤ 숫자 5가 나타내는 값을 알아보면
1528 → 500, 5067 → 5000, 3259 → 50, 6175 → 5
따라서 숫자 5가 나타내는 값이 가장 큰 수는 5067입니다.

2-1 숫자 7이 나타내는 값이 가장 작은 수를 찾아 써 보세요.

7208 1724 3087 2479

(3087)

✤ 숫자 7이 나타내는 값을 알아보면
7208 → 7000, 1724 → 700, 3087 → 7, 2479 → 70
따라서 숫자 7이 나타내는 값이 가장 작은 수는 3087입니다.

2-2 ㉠이 나타내는 값과 ㉡이 나타내는 값의 합을 구해 보세요.

3128(㉠: 1) 5167(㉡: 6)

(160)

✤ ㉠이 나타내는 값은 100, ㉡이 나타내는 값은 60입니다.
→ ㉠+㉡=100+60=160

26쪽 ~ 27쪽

정답과 풀이 p.6

★ 여러 수의 크기 비교하기

3 작은 수부터 차례로 써 보세요.

3209 2146 4080

답 2146, 3209, 4080

개념 피드백 • 네 자리 수의 크기 비교

천의 자리 숫자가 클수록 더 큰 수 → 백의 자리 숫자가 클수록 더 큰 수 → 십의 자리 숫자가 클수록 더 큰 수 → 일의 자리 숫자가 클수록 더 큰 수

✤ 천의 자리 숫자부터 차례로 비교하면
4080>3209>2146입니다.
4>3 3>2

3-1 가장 작은 수에 ○표 하세요.

4253 3912 5002

( ) (○) ( )

✤ 천의 자리 숫자부터 차례로 비교하면
5002>4253>3912이므로 가장 작은 수는 3912입니다.
5>4 4>3

3-2 가장 큰 수를 찾아 기호를 써 보세요.

㉠ 백 모형이 40개인 수
㉡ 오천십육
㉢ 1000이 4개, 100이 9개, 10이 8개, 1이 3개인 수

(㉡)

✤ ㉠ 4000 ㉡ 5016 ㉢ 4983
5016>4983>4000이므로 가장 큰 수는 ㉡입니다.

★ 수 카드로 네 자리 수 만들기

4 수 카드 4장을 한 번씩 사용하여 가장 큰 네 자리 수를 만들어 보세요.

[3] [7] [2] [6]

답 7632

개념 피드백 네 자리 수 ★■▲●에서 가장 큰 수가 되려면 ★>■>▲>●
네 자리 수 ★■▲●에서 가장 작은 수가 되려면 ★<■<▲<●

✤ 7>6>3>2이므로 가장 높은 자리부터 큰 수를 차례로 놓으면 7632입니다.
따라서 가장 큰 수는 7632입니다.

4-1 수 카드 4장을 한 번씩 사용하여 네 자리 수를 만들려고 합니다. 가장 큰 수와 가장 작은 수를 각각 만들어 보세요.

[9] [3] [4] [7]

가장 큰 수 (9743), 가장 작은 수 (3479)

✤ 9>7>4>3이므로 가장 큰 네 자리 수는 9743이고
3<4<7<9이므로 가장 작은 네 자리 수는 3479입니다.

4-2 수 카드 4장을 한 번씩 사용하여 가장 작은 네 자리 수를 만들어 보세요.

[5] [0] [1] [8]

(1058)

✤ 0<1<5<8이므로 가장 높은 자리부터 작은 수를 차례로 놓으면 0158인데 0은 가장 높은 자리에 올 수 없습니다.
따라서 가장 작은 네 자리 수는 1058입니다.

정답과 풀이 p.7

★ □ 안에 들어갈 수 있는 수 구하기

5 1부터 9까지의 수 중 □ 안에 들어갈 수 있는 수를 모두 구해 보세요.

5419 < □326

답 6, 7, 8, 9

개념 피드백 • 네 자리 수의 크기 비교

천의 자리 숫자가 클수록 더 큰 수 → 백의 자리 숫자가 클수록 더 큰 수 → 십의 자리 숫자가 클수록 더 큰 수 → 일의 자리 숫자가 클수록 더 큰 수

✤ 천, 백의 자리 숫자만 비교하면 54<□3이므로 □ 안에 들어갈 수 있는 수는 6, 7, 8, 9입니다.

5-1 0부터 9까지의 수 중 □ 안에 들어갈 수 있는 수를 모두 찾아 ○표 하세요.

2725 > 272□

(⓪, ①, ②, ③, ④, 5, 6, 7, 8, 9)

✤ 천, 백, 십의 자리 숫자가 각각 같으므로 일의 자리 숫자를 비교하면 5>□입니다.
따라서 □ 안에 들어갈 수 있는 수는 0, 1, 2, 3, 4입니다.

5-2 0부터 9까지의 수 중 □ 안에 들어갈 수 있는 수는 모두 몇 개일까요?

4□72 > 4681

(3개)

✤ 천의 자리 숫자가 같으므로 백, 십의 자리 숫자를 비교합니다.
□7>68이므로 □ 안에 들어갈 수 있는 수는 7, 8, 9입니다.
➜ 3개

★ 조건을 만족하는 수 구하기

6 다음 조건을 모두 만족하는 네 자리 수를 구해 보세요.

• 2000보다 크고 3000보다 작은 수입니다.
• 백의 자리 숫자는 천의 자리 숫자보다 2만큼 더 큰 수입니다.
• 십의 자리 숫자는 5이고, 일의 자리 숫자보다 1만큼 더 큰 수입니다.

① 천의 자리 숫자는 [2]입니다.
② 백의 자리 숫자는 [4]입니다.
③ 십의 자리 숫자가 [5]이므로 일의 자리 숫자는 [4]입니다.
④ 조건을 모두 만족하는 네 자리 수는 [2454]입니다.

답 2454

개념 피드백 • 네 자리 수 ★■▲●

① 천 모형 ★개	② 1000이 ★개	③ 천의 자리 숫자 ★
백 모형 ■개	100이 ■개	백의 자리 숫자 ■
십 모형 ▲개	10이 ▲개	십의 자리 숫자 ▲
일 모형 ●개	1이 ●개	일의 자리 숫자 ●

6-1 다음 조건을 모두 만족하는 네 자리 수를 구해 보세요.

• 4000보다 크고 5000보다 작은 수입니다.
• 백의 자리 숫자는 천의 자리 숫자보다 3만큼 더 큰 수입니다.
• 십의 자리 숫자는 백의 자리 숫자보다 4만큼 더 작은 수입니다.
• 일의 자리 숫자는 십의 자리 숫자보다 5만큼 더 큰 수입니다.

(4738)

✤ 천의 자리 숫자는 4이고
백의 자리 숫자는 4+3=7입니다.
십의 자리 숫자는 7−4=3이고
일의 자리 숫자는 3+5=8입니다.
따라서 조건에 맞는 수는 4738입니다.

Test 교과서 서술형 연습

정답과 풀이 p.7

서술형 연습 1 빈이는 5월까지 3200원을 저금했습니다. 6월부터 10월까지 한 달에 1000원씩 계속 저금한다면 10월까지 얼마를 저금할 수 있는지 구해 보세요.

구하려는 것, 주어진 것에 선을 그어 봅니다.

해결하기 6월부터 10월까지는 [5]개월입니다.
1000씩 뛰어 세기를 합니다.
3200 - [4200] - [5200] - [6200] - [7200] - [8200]
따라서 10월까지 [8200]원을 저금할 수 있습니다.

답 구하기 8200원

서술형 연습 2 준호는 2월까지 1700원을 저금했습니다. 3월부터 5월까지 한 달에 2000원씩 계속 저금한다면 5월까지 얼마를 저금할 수 있는지 구해 보세요. 주어진 것
구하려는 것

구하려는 것, 주어진 것에 선을 그어 봅니다.

해결하기 예 3월부터 5월까지 한 달에 2000원씩 저금한다면 천의 자리 숫자가 2씩 커지므로 1700−3700−5700−7700입니다. 따라서 5월까지 7700원을 저금할 수 있습니다.

답 구하기 7700원

서술형 연습 3 다음 네 자리 수에서 ㉠이 나타내는 값과 ㉡이 나타내는 값의 차를 구해 보세요.

6541 (㉠: 4) 6034 (㉡: 3)

해결하기 ㉠이 나타내는 값은 [40]입니다.
㉡이 나타내는 값은 [4]입니다.
따라서 ㉠이 나타내는 값과 ㉡이 나타내는 값의 차는 [40]−[4]=[36]입니다.

답 구하기 36

서술형 실전 4 다음 네 자리 수에서 ㉠이 나타내는 값과 ㉡이 나타내는 값의 차를 구해 보세요.

5370 (㉠: 7) 5197 (㉡: 7)

해결하기 예 ㉠이 나타내는 값은 70이고 ㉡이 나타내는 값은 7입니다.
따라서 ㉠이 나타내는 값과 ㉡이 나타내는 값의 차는 70−7=63입니다.

답 구하기 63

32쪽 ~ 33쪽

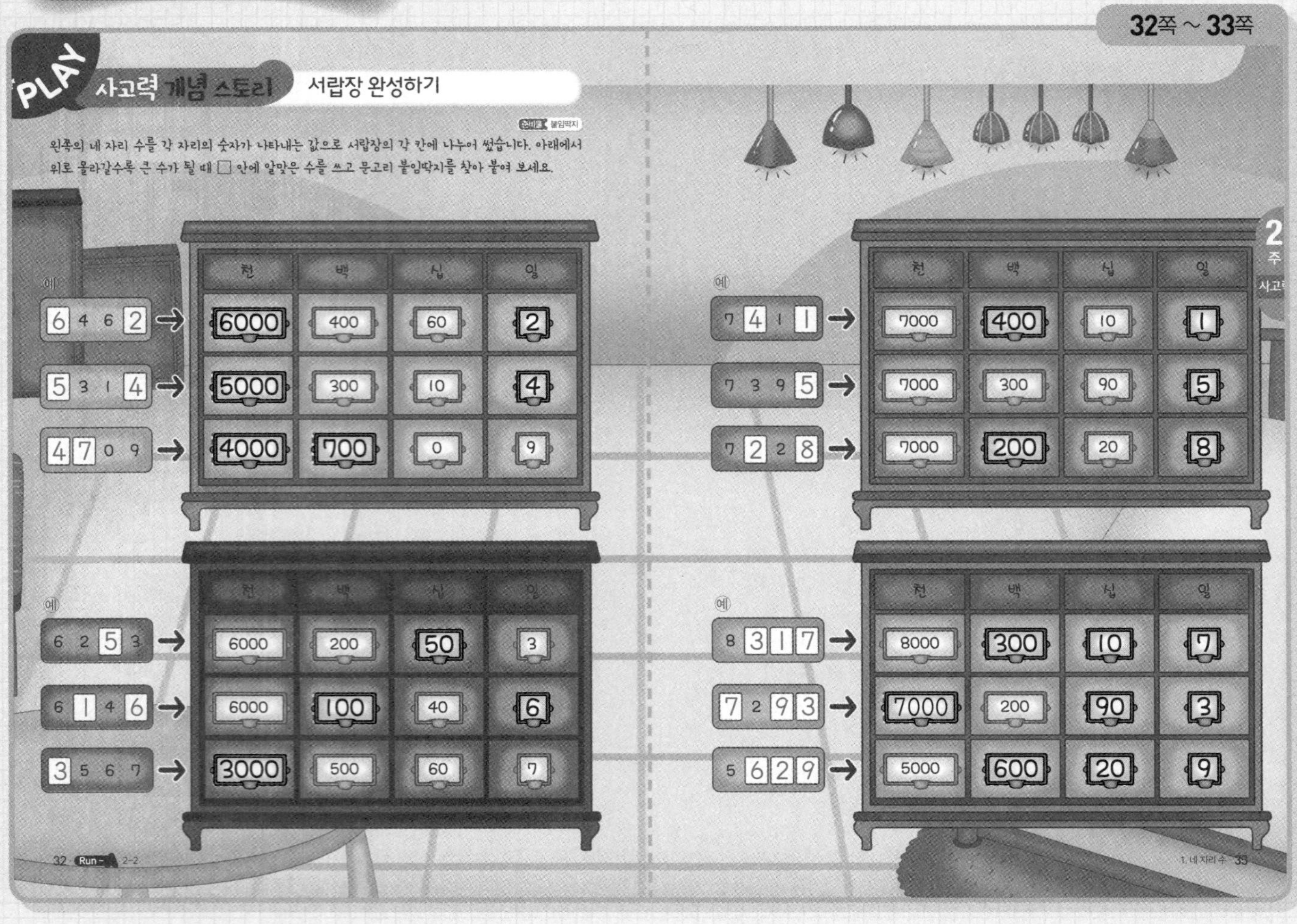

34쪽 ~ 35쪽

1단계 교과 사고력 잡기

정답과 풀이 p.9

1 수 카드 4장이 들어 있는 주머니가 2개 있습니다. 수 카드 4장을 한 번씩 사용하여 네 자리 수를 각각 만들려고 합니다. 천의 자리 숫자가 같은 가장 큰 수를 각각 만들어 보세요.

❶ 두 주머니에 공통으로 들어 있는 수 카드에 써 있는 수는 얼마일까요?

(3)

✤ 두 주머니에 모두 3 카드가 있습니다.

❷ 천의 자리 숫자가 같은 네 자리 수를 만들 때 천의 자리 숫자는 얼마일까요?

(3)

✤ 두 주머니에 공통으로 들어 있는 3이 천의 자리 숫자가 됩니다.

❸ 빨간 주머니에서 천의 자리 숫자가 같은 가장 큰 네 자리 수를 만들어 보세요.

(3852)

✤ 천의 자리 숫자가 3인 네 자리 수를 3□□□라 하고, 남은 수 2, 5, 8을 큰 수부터 차례로 백의 자리, 십의 자리, 일의 자리에 넣습니다. 따라서 8>5>2이므로 가장 큰 네 자리 수는 3852입니다.

❹ 파란 주머니에서 천의 자리 숫자가 같은 가장 큰 네 자리 수를 만들어 보세요.

(3741)

✤ 천의 자리 숫자가 3인 네 자리 수를 3□□□라 하고, 남은 수 1, 4, 7을 큰 수부터 차례로 백의 자리, 십의 자리, 일의 자리에 넣습니다. 따라서 7>4>1이므로 가장 큰 네 자리 수는 3741입니다.

2 진주네 집에서부터 학교, 마트, 은행까지의 거리를 나타낸 지도입니다. 진주네 집에서 거리가 먼 곳부터 차례로 써 보세요.

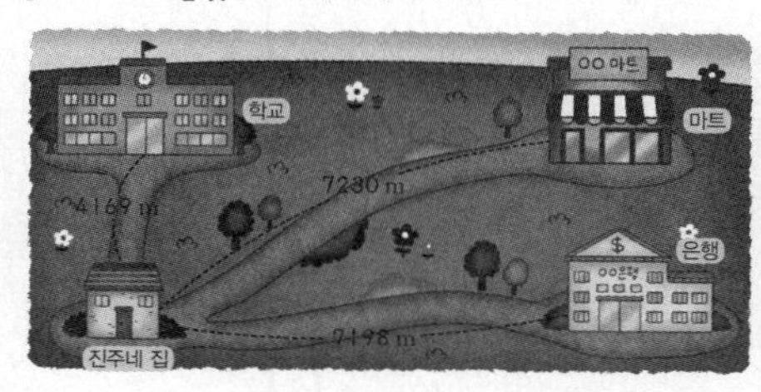

❶ 거리를 나타내는 세 수 중 천의 자리 숫자가 가장 작은 수는 얼마일까요?

(4169)

❷ 천의 자리 숫자가 같은 두 수의 크기는 어떤 자리 숫자를 비교할까요?

(백의 자리 숫자)

✤ 7230 7198

❸ 천의 자리 숫자가 같은 두 수의 크기를 > 또는 <를 사용하여 나타내어 보세요.

(7230>7198 또는 7198<7230)

✤ 7230>7198 (2>1)

❹ 진주네 집에서 거리가 먼 곳부터 차례로 써 보세요.

(마트 , 은행 , 학교)

1단계 교과 사고력 잡기

정답과 풀이 p.9

3 다음 수에서 100씩 5번 뛰어 센 수를 구해 보세요.

1000이 3개, 100이 14개, 1이 22개인 수

❶ □ 안에 알맞은 수를 써넣으세요.

- 1000이 3개이면 3000입니다.
- 100이 14개이면 1400입니다.
- 1이 22개이면 22입니다.
- → 1000이 3개, 100이 14개, 1이 22개인 수는 4422입니다.

✤ 3000+1400+22=4422

❷ 100씩 뛰어 세면 어느 자리 숫자가 몇씩 변하는지 알아보세요.

100씩 뛰어 세면 (백), 십)의 자리 숫자가 1씩 (커집니다), 작아집니다).

❸ 1000이 3개, 100이 14개, 1이 22개인 수에서 100씩 5번 뛰어 세어 보세요.

4422 - 4522 - 4622 - 4722 - 4822 - 4922

❹ 1000이 3개, 100이 14개, 1이 22개인 수에서 100씩 5번 뛰어 센 수를 구해 보세요.

(4922)

4 수직선을 보고 몇씩 뛰어 센 것인지 규칙을 찾아 ㉠이 나타내는 수를 구해 보세요.

❶ 6238, 6258, 6278, ㉠, 6308

(6298)

✤ 6238−6258로 2번 뛰어 셀 때 십의 자리 숫자가 3에서 5로 변했으므로 10씩 뛰어 센 것입니다. 6278−6288−6298이므로 ㉠은 6298입니다.

❷ 3259, ㉠, 3265, 3268

(3263)

✤ 3265−3268로 3번 뛰어 셀 때 일의 자리 숫자가 5에서 8로 변했으므로 1씩 뛰어 센 것입니다. 3259−3260−3261−3262−3263이므로 ㉠은 3263입니다.

5 다음 수에서 1000씩 거꾸로 3번 뛰어 센 수를 구해 보세요.

팔천구십이

(5092)

✤ 8092에서 1000씩 거꾸로 3번 뛰어 세면 8092−7092−6092−5092이므로 구하는 수는 5092입니다.

2단계 교과 사고력 확장

정답과 풀이 p.10

1 고대 이집트에서는 다음과 같이 수를 그림으로 나타내었습니다. 보기의 이집트 숫자를 보고 나타내는 수를 찾아 선으로 이어 보세요.

수	1000	100	10	1
이집트 숫자				

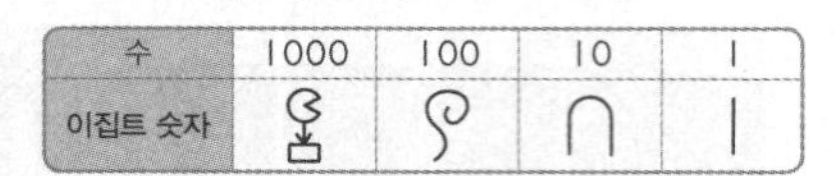

✣ 1000이 1개, 100이 2개, 10이 1개, 1이 5개이면 1215입니다.

✣ 1000이 3개, 100이 2개, 10이 4개, 1이 3개이면 3243입니다.

✣ 1000이 2개, 100이 5개, 10이 1개, 1이 3개이면 2513입니다.

✣ 1000이 3개, 100이 4개, 10이 1개, 1이 6개이면 3416입니다.

2513, 1215, 3243, 3416

2 돼지 저금통에 들어 있는 돈이 1000원이 되기 위해서 얼마가 더 있어야 하는지 알맞은 것을 찾아 선으로 이어 보세요.

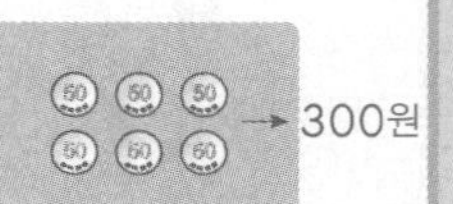

✣ 10원짜리가 10개이면 100원입니다.

✣ 50원짜리가 4개이면 200원입니다.

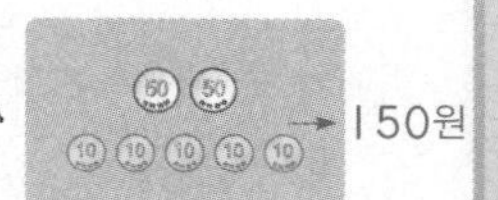

150원

✣ 50원짜리가 2개이면 100원입니다.

2단계 교과 사고력 확장

정답과 풀이 p.10

3 보기와 같은 규칙으로 빈칸에 알맞은 수를 써넣으세요.

보기: 2905, 2914, 2915, 2916, 2925

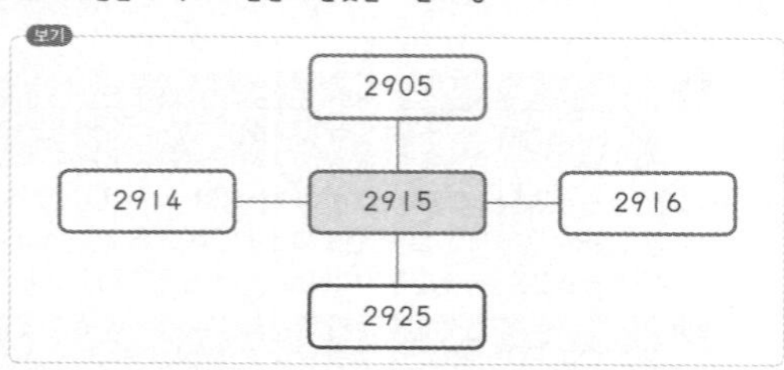

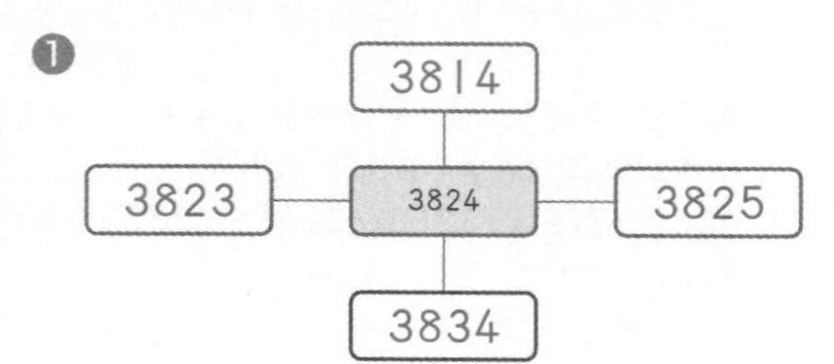

✣ 파란색: 십의 자리 숫자가 1 작아졌으므로 10씩 거꾸로 1번 뛰어 세었습니다.
주황색: 일의 자리 숫자가 1 커졌으므로 1씩 1번 뛰어 세었습니다.

빨간색: 십의 자리 숫자가 1 커졌으므로 10씩 1번 뛰어 세었습니다.

초록색: 일의 자리 숫자가 1 작아졌으므로 1씩 거꾸로 1번 뛰어 세었습니다.

4 주어진 수 모형 5개 중 4개를 사용하여 나타낼 수 없는 네 자리 수를 찾아 기호를 써 보세요.

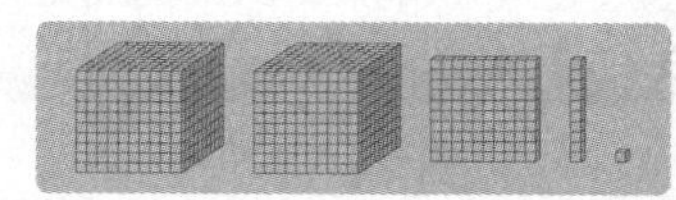

㉠ 2110 ㉡ 2011 ㉢ 1201 ㉣ 1111

❶ 천의 자리 숫자가 2인 네 자리 수를 만들어 보세요.

2110, 2101, 2011

✣

천 모형(개)	백 모형(개)	십 모형(개)	일 모형(개)	네 자리 수
2	1	1	0	2110
2	1	0	1	2101
2	0	1	1	2011

❷ 천의 자리 숫자가 1인 네 자리 수를 만들어 보세요.

1111

✣ 천 모형 1개를 사용했으므로 천 모형은 제외하고 남은 백 모형, 십 모형, 일 모형 중 3개를 더 사용해서 네 자리 수를 만듭니다.

천 모형(개)	백 모형(개)	십 모형(개)	일 모형(개)	네 자리 수
1	1	1	1	1111

❸ 주어진 수 모형 5개 중 4개를 사용하여 나타낼 수 없는 네 자리 수를 찾아 기호를 써 보세요.

(㉢)

✣ ㉢ 백 모형은 1개만 있으므로 1201을 만들 수 없습니다.

3단계 교과 사고력 완성

정답과 풀이 p.11

평가 영역 ☑개념 이해력 □개념 응용력 ☑창의력 □문제 해결력

1 동전을 지폐로 바꾸려고 합니다. 알맞은 것끼리 선으로 이어 보세요.

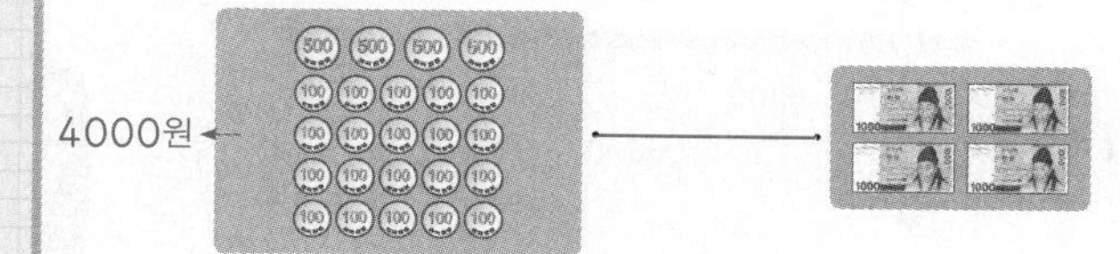

4000원

7000원

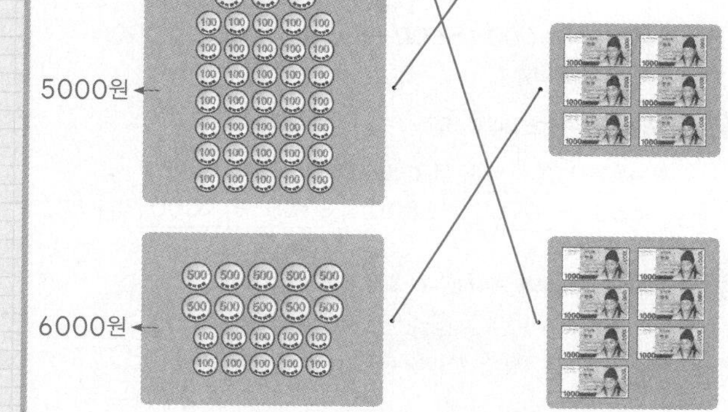

5000원

6000원

✤ 500원짜리 동전 2개는 1000원이고, 100원짜리 동전 10개는 1000원입니다.

평가 영역 □개념 이해력 ☑개념 응용력 □창의력 ☑문제 해결력

2 우리나라 돈과 다른 나라 돈의 교환 비율은 매일 조금씩 변합니다. 어느 날 미국 돈 1달러가 우리나라 돈으로 1100원일 때 다음 물건의 가격은 우리나라 돈으로 각각 얼마인지 구해 보세요.

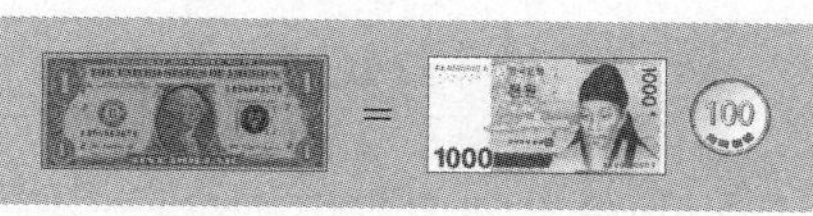

4달러

2달러

7달러

① 규칙을 찾아 빈 곳에 알맞게 써넣으세요.

1달러	2달러	3달러	4달러	5달러
1100원	2200원	3300원	4400원	5500원

✤ 1100씩 뛰어 세어 봅니다.

② 책, 인형, 축구공의 가격은 우리나라 돈으로 각각 얼마인지 구해 보세요.

4400원

2200원

7700원

✤ 책: 4달러=4400원
인형: 2달러=2200원
축구공: 7달러=7700원

Test 종합평가 1. 네 자리 수

맞은 개수

정답과 풀이 p.11

1 □ 안에 알맞은 수를 써넣으세요.

(1) 900보다 100만큼 더 큰 수는 1000입니다.

(2) 1000은 990보다 10만큼 더 큰 수입니다.

2 같은 수를 찾아 선으로 이어 보세요.

7000 · 5000 · 6000 — 오천 · 육천 · 칠천

✤ 7000(칠천), 5000(오천), 6000(육천)

3 돈은 모두 얼마일까요?

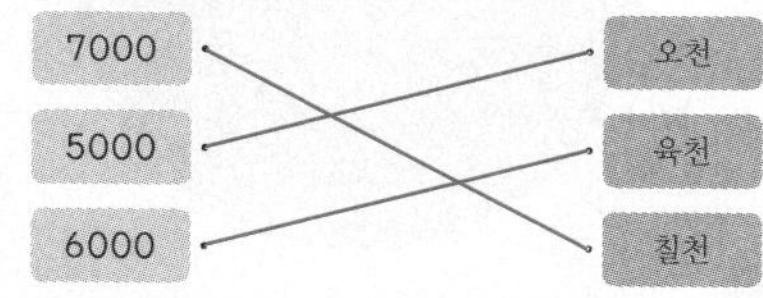

(8000원)

✤ 1000이 8개이면 8000이므로 돈은 모두 8000원입니다.

4 빈칸에 알맞은 말이나 수를 써넣으세요.

수	읽기
9452	구천사백오십이
8016	팔천십육

✤ • 9452는 구천사백오십이로 읽습니다.
• 읽지 않은 자리에는 0을 씁니다. 팔천십육을 수로 쓰면 8016입니다.

5 6847에서 각 자리 숫자가 나타내는 값을 □ 안에 써넣으세요.

- 6이 나타내는 값은 6000입니다.
- 8이 나타내는 값은 800입니다.
- 4가 나타내는 값은 40입니다.
- 7이 나타내는 값은 7입니다.

✤ 6은 천의 자리 숫자이므로 6000, 8은 백의 자리 숫자이므로 800, 4는 십의 자리 숫자이므로 40, 7은 일의 자리 숫자이므로 7을 나타냅니다.

6 다음이 나타내는 수를 써 보세요.

1000이 4개, 100이 6개, 10이 3개, 1이 9개인 수

(4639)

✤ 1000이 4개이면 4000, 100이 6이면 600, 10이 3이면 30, 1이 9이면 9이므로 4639입니다.

7 다음 네 자리 수에서 숫자 5가 나타내는 값을 써 보세요.

(1) 6529 (500)

(2) 5003 (5000)

(3) 2154 (50)

(4) 4765 (5)

✤ (1) 6529에서 5는 백의 자리 숫자이고 500을 나타냅니다.
(2) 5003에서 5는 천의 자리 숫자이고 5000을 나타냅니다.
(3) 2154에서 5는 십의 자리 숫자이고 50을 나타냅니다.

8 100씩 뛰어 세어 보세요.

1257 – 1357 – 1457 – 1557 – 1657 – 1757

✤ 백의 자리 숫자가 1씩 커집니다.

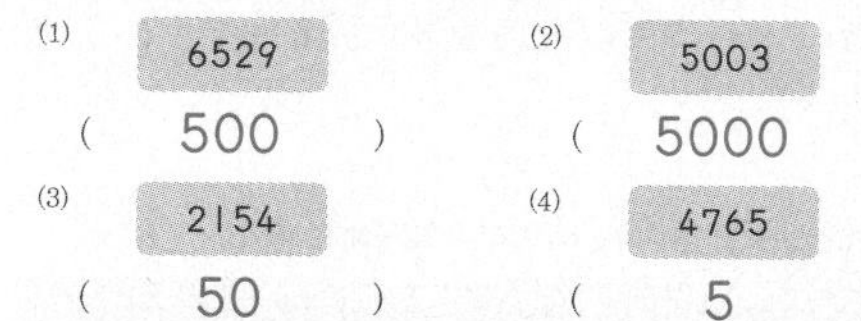

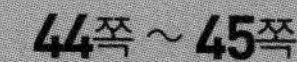

Test 종합평가 1. 네 자리 수

정답과 풀이 p.12

9 □ 안에 알맞은 수를 써넣으세요.

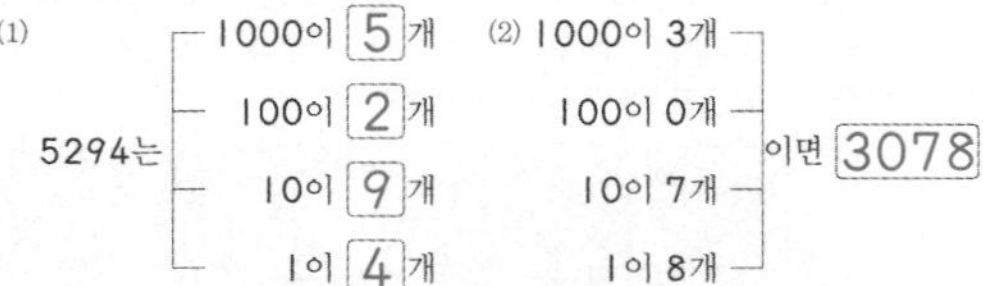

(1) 5294는 1000이 5개, 100이 2개, 10이 9개, 1이 4개

(2) 1000이 3개, 100이 0개, 10이 7개, 1이 8개이면 3078

✤ (1) 5294 — 5000 → 1000이 5개, 200 → 100이 2개, 90 → 10이 9개, 4 → 1이 4개
(2) 1000이 3개 → 3000, 100이 0개 → 0, 10이 7개 → 70, 1이 8개 → 8 — 3078

10 두 수의 크기를 비교하여 ○ 안에 > 또는 <를 알맞게 써넣으세요.

(1) 5316 (>) 5294 (2) 6709 (<) 8000

✤ (1) 5316>5294 (3>2) (2) 6709<8000 (6<8)

11 몇씩 뛰어 센 것인지 써 보세요.

(100)

✤ 백의 자리 숫자가 1씩 커지므로 100씩 뛰어 세었습니다.

12 큰 수부터 차례로 써 보세요.

6204 5937 6195

(6204, 6195, 5937)

✤ 천의 자리 숫자를 비교하면 6204와 6195가 5937보다 큽니다.
6204와 6195를 비교하면 6204>6195이므로 큰 수부터 차례로 쓰면 6204, 6195, 5937입니다.

[13~15] 수 배열표를 보고 물음에 답하세요.

3600	3700	3800	3900	
4600	4700	4800	4900	5000
5600	5700			6000
6600		6800	(그림)	
7600			7900	8000

13 →에 있는 수들은 얼마씩 뛰어 센 것일까요?

(100)

✤ 4600−4700−4800−4900−5000은 100씩 뛰어 세었습니다.

14 ↓에 있는 수들은 얼마씩 뛰어 센 것일까요?

(1000)

✤ 3600−4600−5600−6600−7600은 1000씩 뛰어 세었습니다.

15 (그림)에 들어갈 수는 얼마일까요?

(6900)

✤ →는 100씩 뛰어 센 것이므로 6600−[6700]−6800−[6900]−[7000]입니다.

16 ㉠이 나타내는 값과 ㉡이 나타내는 값의 합을 구해 보세요.

3920 (㉠: 2) 8047 (㉡: 7)

(27)

✤ ㉠이 나타내는 값은 20, ㉡이 나타내는 값은 7입니다.
→ 20+7=27

Test 종합평가 1. 네 자리 수

정답과 풀이 p.12

17 수 카드 4장을 한 번씩 사용하여 네 자리 수를 만들려고 합니다. 백의 자리 숫자가 6인 가장 큰 수와 가장 작은 수를 각각 만들어 보세요.

3 6 7 2

가장 큰 수 (7632), 가장 작은 수 (2637)

✤ 백의 자리 숫자가 6인 네자리 수는 □6□□입니다.
가장 큰 수는 남은 수 3, 7, 2를 천의 자리부터 큰 수를 차례로 쓰면 7632이고, 가장 작은 수는 천의 자리부터 작은 수를 차례로 쓰면 2637입니다.

18 0부터 9까지의 수 중에서 □ 안에 들어갈 수 있는 수를 모두 써 보세요.

4258<42□3

(6, 7, 8, 9)

✤ 천, 백의 자리 숫자가 같으므로 십, 일의 자리 숫자를 비교합니다.
58<□3이므로 □ 안에 들어갈 수 있는 수는 6, 7, 8, 9입니다.

19 다음 조건을 모두 만족하는 네 자리 수를 구해 보세요.

- 1500보다 크고 1600보다 작습니다.
- 일의 자리 숫자는 3입니다.
- 십의 자리 숫자는 일의 자리 숫자보다 3만큼 더 큰 수입니다.

(1563)

✤ 1500보다 크고 1600보다 작은 수는 15□□입니다.
십의 자리 숫자는 일의 자리 숫자보다 3만큼 더 큰 수이므로 6입니다.
따라서 조건을 모두 만족하는 수는 1563입니다.

특강 창의·융합 사고력

정답과 풀이 p.12

1 숫자판의 클립이 가리키는 수를 보기 와 같이 나타낼 때 물음에 답하세요.

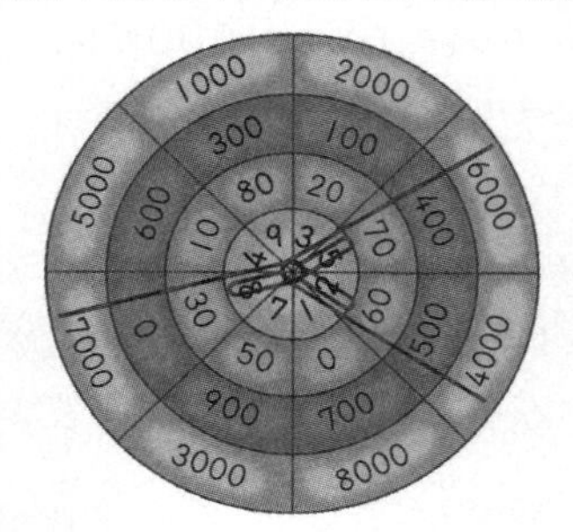

보기

이 가리키는 수			
4000	500	60	2

쓰기 4562 읽기 사천오백육십이

(1) 이 가리키는 수를 쓰고 읽어 보세요.

6000	400	70	5

쓰기 6475 읽기 육천사백칠십오

(2) 이 가리키는 수를 쓰고 읽어 보세요.

7000	0	30	8

쓰기 7038 읽기 칠천삼십팔

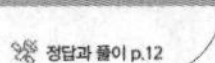

2 곱셈구구

곱셈구구의 역사

곱셈구구의 역사는 아주 오래 되었어요. 곱셈구구는 중국에서 만들어졌다고 해요. 2000여 년 전 중국 한나라 시대에 이미 곱셈구구를 사용했다고 합니다. 우리나라에는 1200여 년 전에 중국에서 곱셈구구가 전해졌는데, 신라 시대에도 곱셈구구를 외웠다고 해요.

옛날에는 곱셈구구를 한문으로 외웠어요. "삼승일 여삼, 삼승이 여육, 삼승삼 여구, 삼승사 여십이……" '승'은 곱하기를 뜻하고 '여'는 같다는 뜻이에요.

옛날에는 곱셈구구를 특별한 사람들만 외웠다고 해요. 이 사람들은 곱셈구구를 소중히 여기며 곱셈구구가 얼마나 편리한 것인지 아무한테나 알려 주지 않았답니다. 그래서 쉽게 익힐 수 있는 곱셈구구를 일부러 어렵게 보이게 하려고 9단의 맨 끝인 '구구 팔십일'부터 외웠대요.
곱셈구구를 일상적으로 구구단이라고 하는데 '구구단'이라는 이름은 그렇게 해서 붙여졌어요. 지금으로부터 700여 년 전 중국 원나라에서 지금과 같이 2단부터 외우기 시작했다고 합니다.

유럽에도 곱셈구구와 비슷한 표가 있지만, 9단까지 외우지 않고 5단까지만 외워요. 반면에 인도에서는 19단까지 외운다고 합니다.

뛰어 세기를 하여 빈칸에 알맞은 수를 써넣으세요.

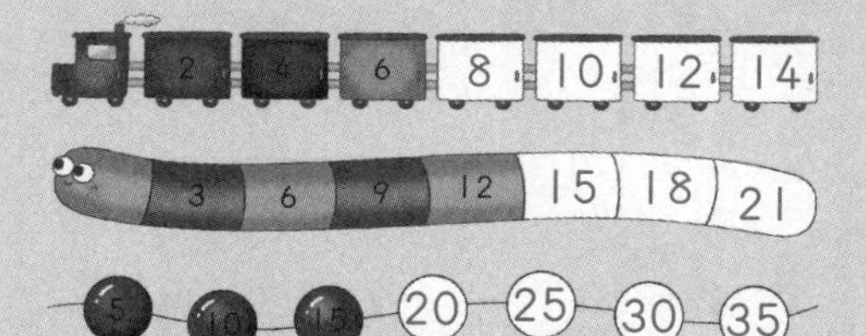

자전거 공장에서 두발자전거와 세발자전거를 만들고 있습니다. 그림과 같이 자전거를 만들려면 바퀴는 모두 몇 개가 필요한지 알아볼까요?

➡ 두발자전거는 자전거 1대에 바퀴가 [2]개씩 필요하므로 모두 2+2+2+2=[8](개)가 필요합니다.

➡ 세발자전거는 자전거 1대에 바퀴가 [3]개씩 필요하므로 모두 3+3+3+3+3=[15](개)가 필요합니다.

1단계 교과서 개념 잡기

개념 1 2단, 5단 곱셈구구 알아보기

- 2단 곱셈구구

$2\times1=2$, $2\times2=4$, $2\times3=6$, $2\times4=8$, $2\times5=10$, $2\times6=12$, $2\times7=14$, $2\times8=16$, $2\times9=18$ (+2씩)

⇨ 곱하는 수가 1씩 커지면 그 곱은 2씩 커집니다.

- 5단 곱셈구구

$5\times1=5$, $5\times2=10$, $5\times3=15$, $5\times4=20$, $5\times5=25$, $5\times6=30$, $5\times7=35$, $5\times8=40$, $5\times9=45$ (+5씩)

⇨ 곱하는 수가 1씩 커지면 그 곱은 5씩 커집니다.

개념 2 3단, 6단 곱셈구구 알아보기

- 3단 곱셈구구

$3\times1=3$, $3\times2=6$, $3\times3=9$, $3\times4=12$, $3\times5=15$, $3\times6=18$, $3\times7=21$, $3\times8=24$, $3\times9=27$ (+3씩)

⇨ 곱하는 수가 1씩 커지면 그 곱은 3씩 커집니다.

- 6단 곱셈구구

$6\times1=6$, $6\times2=12$, $6\times3=18$, $6\times4=24$, $6\times5=30$, $6\times6=36$, $6\times7=42$, $6\times8=48$, $6\times9=54$ (+6씩)

⇨ 곱하는 수가 1씩 커지면 그 곱은 6씩 커집니다.

개념 확인 문제

정답과 풀이 p.13

1-1 □ 안에 알맞은 수를 써넣으세요.

2+2+2+2+2=[10]　　$2\times5=$[10]

✤ 한 접시에 2개씩이고 모두 5접시이므로 빵은 2+2+2+2+2=10(개)입니다. ➡ $2\times5=10$

1-2 □ 안에 알맞은 수를 써넣으세요.

(1) $2\times3=$[6]　(2) $2\times8=$[16]
(3) $5\times7=$[35]　(4) $5\times9=$[45]

✤ (1) $2\times3=6$　(2) $2\times8=16$　(3) $5\times7=35$　(4) $5\times9=45$

2-1 곱셈식을 수직선에 나타내고 □ 안에 알맞은 수를 써넣으세요.

$3\times6=$[18]

✤ 3×6은 3씩 6번 뛰어 세어야 하므로 3−6−9−12−15−18입니다. ➡ $3\times6=18$

2-2 □ 안에 알맞은 수를 써넣으세요.

(1) $3\times4=$[12]　(2) $3\times8=$[24]
(3) $6\times5=$[30]　(4) $6\times9=$[54]

3주 교과

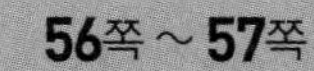

개념 3 4단, 8단 곱셈구구 알아보기

• 4단 곱셈구구

4×1=4
4×2=8
4×3=12
4×4=16
4×5=20
4×6=24
4×7=28
4×8=32
4×9=36
(+4씩)

➩ 곱하는 수가 1씩 커지면 그 곱은 4씩 커집니다.

• 8단 곱셈구구

8×1=8
8×2=16
8×3=24
8×4=32
8×5=40
8×6=48
8×7=56
8×8=64
8×9=72
(+8씩)

➩ 곱하는 수가 1씩 커지면 그 곱은 8씩 커집니다.

개념 4 7단, 9단 곱셈구구 알아보기

• 7단 곱셈구구

7×1=7
7×2=14
7×3=21
7×4=28
7×5=35
7×6=42
7×7=49
7×8=56
7×9=63
(+7씩)

➩ 곱하는 수가 1씩 커지면 그 곱은 7씩 커집니다.

• 9단 곱셈구구

9×1=9
9×2=18
9×3=27
9×4=36
9×5=45
9×6=54
9×7=63
9×8=72
9×9=81
(+9씩)

➩ 곱하는 수가 1씩 커지면 그 곱은 9씩 커집니다.

개념 확인 문제 (정답과 풀이 p.14)

3-1 4단 곱셈구구와 8단 곱셈구구를 이용하여 딸기의 수를 구해 보세요.

4×6=24
8×3=24

✣ 딸기는 4개씩 6묶음이므로 4×6=24이고, 8개씩 3묶음이므로 8×3=24입니다.

3-2 빈 곳에 알맞은 수를 써넣으세요.

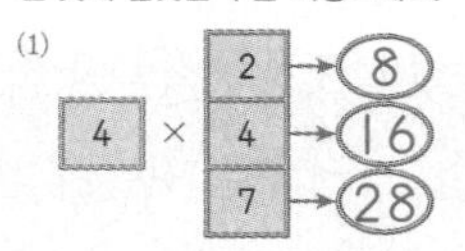

(2) 8 × 4 → 32, 5 → 40, 8 → 64

✣ (1) 4×2=8, 4×4=16, 4×7=28
(2) 8×4=32, 8×5=40, 8×8=64

4-1 색 테이프의 전체 길이를 구해 보세요.

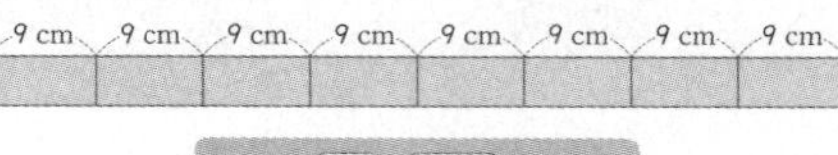

9×8=72 (cm)

✣ 9 cm가 8개 이어져 있으므로 색 테이프의 전체 길이는 9×8=72 (cm)입니다.

4-2 곱셈구구의 값을 찾아 선으로 이어 보세요.

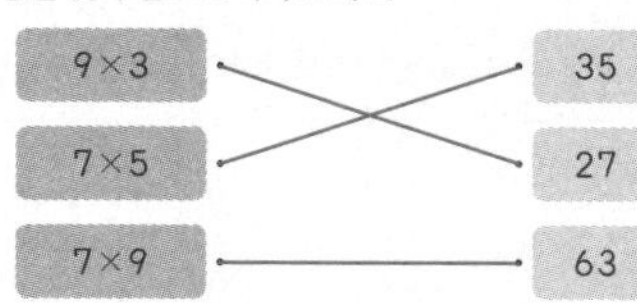

✣ 9×3=27, 7×5=35, 7×9=63

58쪽 ~ 59쪽

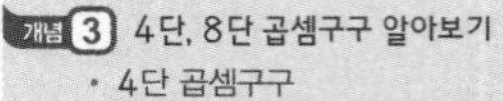

개념 5 1단 곱셈구구 알아보기

1×3=3

1×4=4

×	1	2	3	4	5	6	7	8	9
1	1	2	3	4	5	6	7	8	9

• 1과 어떤 수의 곱은 항상 어떤 수가 됩니다.
➩ 1×(어떤 수)=(어떤 수)

• 어떤 수와 1의 곱은 항상 어떤 수가 됩니다.
➩ (어떤 수)×1=(어떤 수)

개념 6 0의 곱 알아보기

• 원판 돌리기에서 0이 2번 나오면 0점입니다.
➩ 0×2=0

• 원판 돌리기에서 3이 한 번도 나오지 않으면 0점입니다.
➩ 3×0=0

×	1	2	3	4	5	6	7	8	9
0	0	0	0	0	0	0	0	0	0

• 0과 어떤 수의 곱은 항상 0입니다.
➩ 0×(어떤 수)=0

• 어떤 수와 0의 곱은 항상 0입니다.
➩ (어떤 수)×0=0

개념 확인 문제 (정답과 풀이 p.14)

5-1 어항 안에 물고기가 1마리씩 들어 있습니다. 물고기의 수를 구해 보세요.

1×1=1　1×2=2　1×3=3

✣ 어항 1개에 들어 있는 물고기의 수는 1×1=1
어항 2개에 들어 있는 물고기의 수는 1×2=2
어항 3개에 들어 있는 물고기의 수는 1×3=3

5-2 □ 안에 알맞은 수를 써넣으세요.

(1) 1×4=4　(2) 5×1=5

(3) 3×1=3　(4) 1×7=7

✣ 1과 어떤 수의 곱은 항상 어떤 수가 됩니다.
어떤 수와 1의 곱은 항상 어떤 수가 됩니다.

6-1 빈칸에 알맞은 수를 써넣으세요.

×	2	4	5	6	7	9
0	0	0	0	0	0	0

✣ 0과 어떤 수의 곱은 항상 0입니다.

6-2 3×0과 곱이 같은 것을 모두 찾아 ○표 하세요.

1×2　(0×8)　3×4　(9×0)

✣ 1×2=2, 0×8=0, 3×4=12, 9×0=0입니다.
3×0=0이므로 곱이 같은 것은 0×8, 9×0입니다.

개념 7 곱셈표 만들어 보기

×	0	1	2	3	4	5	6	7	8	9
0	0	0	0	0	0	0	0	0	0	0
1	0	1	2	3	4	5	6	7	8	9
2	0	2	4	6	8	10	12	14	16	18
3	0	3	6	9	12	15	18	21	24	27
4	0	4	8	12	16	20	24	28	32	36
5	0	5	10	15	20	25	30	35	40	45
6	0	6	12	18	24	30	36	42	48	54
7	0	7	14	21	28	35	42	49	56	63
8	0	8	16	24	32	40	48	56	64	72
9	0	9	18	27	36	45	54	63	72	81

- ■단 곱셈구구에서는 곱이 ■씩 커집니다.
  예 3단 곱셈구구에서는 곱이 3씩 커집니다.
  7씩 커지는 곱셈구구는 7단입니다.
- 곱셈에서 곱하는 두 수의 순서를 서로 바꾸어도 곱이 같습니다.
  예 4×6=24, 6×4=24 → 곱이 24로 같습니다.
  9×7=63, 7×9=63 → 곱이 63으로 같습니다.

개념 8 곱셈구구를 이용하여 문제 해결하기

사과는 바구니 1개에 4개씩 5바구니 있습니다.
→ 4×5=20(개)
└→ 사과는 모두 20개 있습니다.

개념 확인 문제

정답과 풀이 p.15

7-1 곱셈표를 보고 물음에 답하세요.

×	2	3	4	5	6
2	4	6	8	10	12
3	6	9	12	15	18
4	8	12	16	20	24

(1) 4단 곱셈구구에서는 곱이 얼마씩 커질까요?
(4)

(2) 곱셈표에서 2×4와 곱이 같은 곱셈구구를 써 보세요.
(4×2)

✤ (1) 8, 12, 16, 20, 24로 곱이 4씩 커집니다.
(2) 2×4=8이므로 곱셈표에서 곱이 8인 곱셈구구를 찾으면 4×2입니다.

7-2 빈칸에 알맞은 수를 써넣어 곱셈표를 완성해 보세요.

(1)

×	4	5	6
2	8	10	12
3	12	15	18
4	16	20	24

(2)

×	3	4	5
6	18	24	30
7	21	28	35
8	24	32	40

8 거미 한 마리의 다리는 8개입니다. 거미 5마리의 다리는 모두 몇 개일까요?

식 8×5=40 답 40개

✤ 거미 한 마리의 다리는 8개이므로 거미 5마리의 다리는 모두 8×5=40(개)입니다.

64쪽 ~ 65쪽

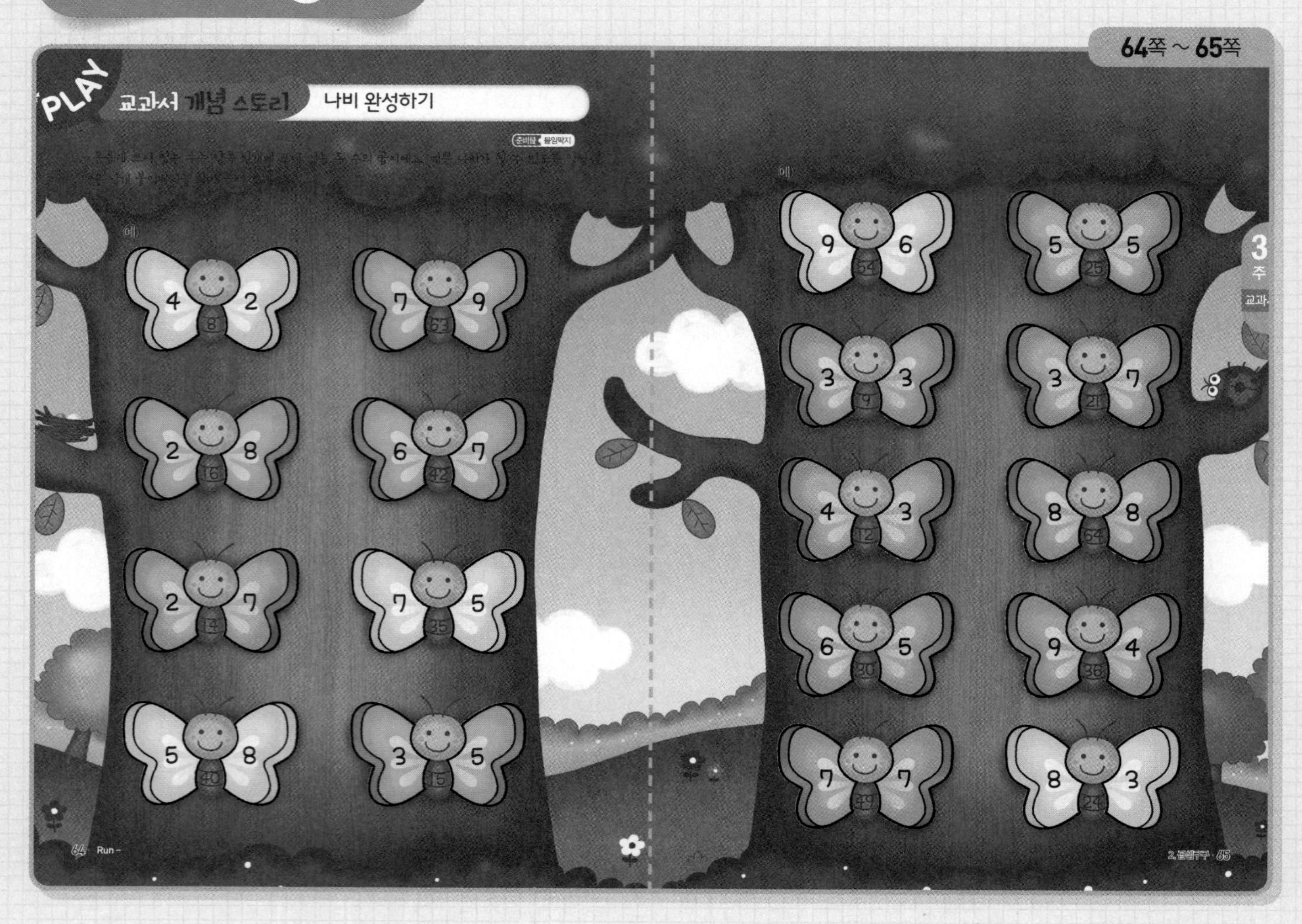

66쪽 ~ 67쪽

정답과 풀이 p.16

개념 1 2단, 5단 곱셈구구 알아보기

01 그림을 보고 곱셈식을 만들어 보세요.

5씩 3개	5×3=[15]
5씩 4개	5×[4]=20
5씩 5개	5×[5]=[25]

✤ 주사위의 눈이 5씩 3개 있으면 5×3=15이고, 5씩 4개 있으면 5×4=20, 5씩 5개 있으면 5×5=25입니다.

02 □ 안에 알맞은 수를 써넣으세요.

(1) 2+2+2+2+2+2+2=[14] → 2×[7]=[14]

(2) 5+5+5+5+5+5=[30] → 5×[6]=[30]

✤ (1) 2를 7번 더하면 14입니다. → 2×7=14
(2) 5를 6번 더하면 30입니다. → 5×6=30

03 곱이 같은 것끼리 선으로 이어 보세요.

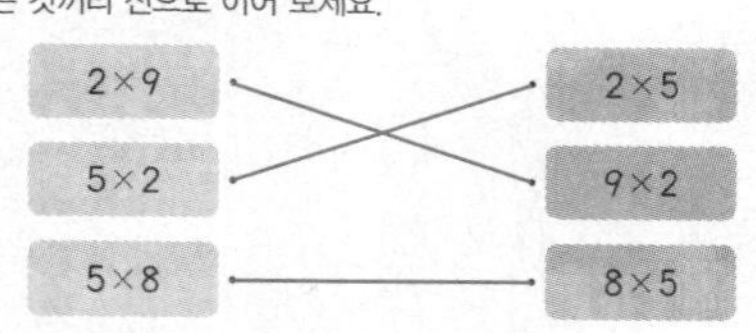

✤ 2×9=18, 2×5=10
5×2=10, 9×2=18
5×8=40, 8×5=40

개념 2 3단, 6단 곱셈구구 알아보기

04 곱셈식에 맞게 ○를 그리고 □ 안에 알맞은 수를 써넣으세요.

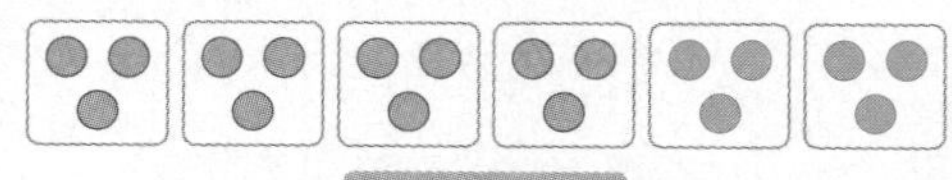

3×6=[18]

✤ 3×6은 3씩 6묶음이므로
3×6=3+3+3+3+3+3=18입니다.
따라서 빈 곳에 ○를 3개씩 2묶음 더 그립니다.

05 □ 안에 알맞은 수를 써넣으세요.

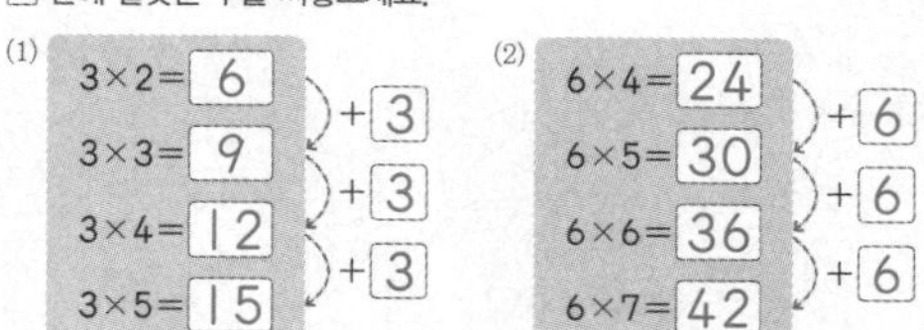

✤ (1) 곱하는 수가 1씩 커지면 그 곱은 3씩 커집니다.
(2) 곱하는 수가 1씩 커지면 그 곱은 6씩 커집니다.

06 곱셈식이 옳게 되도록 선으로 이어 보세요.

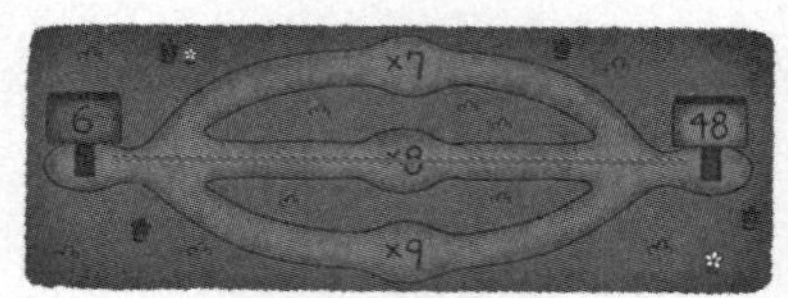

✤ 6단 곱셈구구를 확인하면 6×8=48입니다.

정답과 풀이 p.17

개념 3 4단, 8단 곱셈구구 알아보기

07 풍선의 개수를 곱셈식으로 나타내어 보세요.

4×[5]=[20]

✤ 풍선은 4개씩 5묶음이므로 4×5=20(개)입니다.

08 빈칸에 알맞은 수를 써넣으세요.

×	1	2	4	6	7	9
4	4	8	16	24	28	36
8	8	16	32	48	56	72

09 8단 곱셈구구의 값을 찾아 작은 수부터 차례로 선으로 이어 보세요.

✤ 8단 곱셈구구를 차례로 써 보면 8, 16, 24, 32, 40, 48 이므로 차례로 선을 잇습니다.

개념 4 7단, 9단 곱셈구구 알아보기

10 □ 안에 알맞은 수를 써넣으세요.

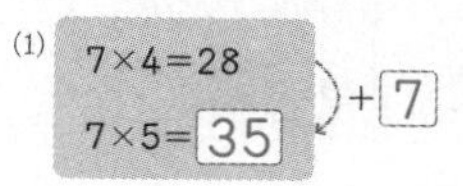

(1) 7×4=28, 7×5=[35]) +[7]

(2) 9×3=[27], 9×4=[36]) +[9]

✤ (1) 7×4=28, 7×5=35) +7　(2) 9×3=27, 9×4=36) +9

11 □ 안에 알맞은 수를 써넣으세요.

(1) 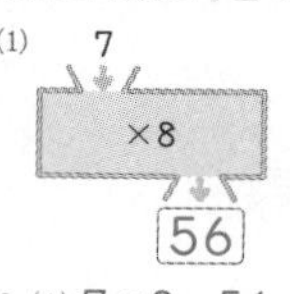

[56]

(2) 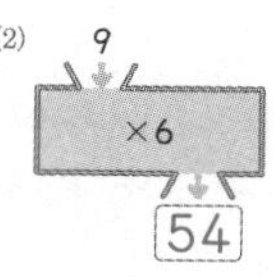

[54]

✤ (1) 7×8=56　(2) 9×6=54

12 7단 곱셈구구의 값을 모두 찾아 ○표 하세요.

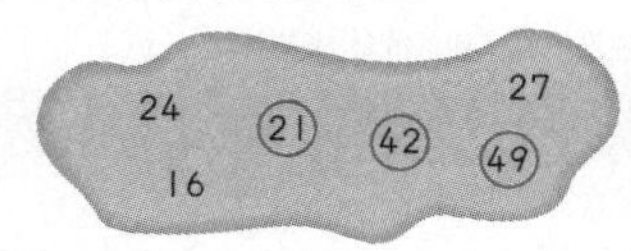

✤ 7×3=21, 7×6=42, 7×7=49

2 단계 교과서 개념 다지기

정답과 풀이 p.17

개념 5 1단 곱셈구구와 0의 곱 알아보기

13 꽃병에 있는 꽃은 모두 몇 송이인지 곱셈식으로 나타내어 보세요.

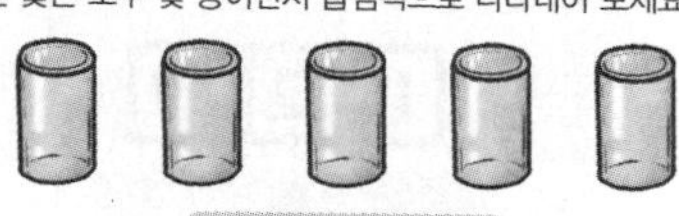

0×[5]=[0]

✤ 꽃이 들어 있지 않은 꽃병이 5개 있으므로 0×5=0입니다.

14 □ 안에 알맞은 수를 써넣으세요.

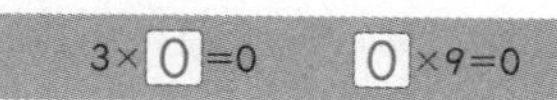

3×[0]=0　[0]×9=0

✤ (어떤 수)×0=0, 0×(어떤 수)=0

15 곱셈을 이용하여 빈칸에 알맞은 수를 써넣으세요.

✤ 1과 어떤 수의 곱은 항상 어떤 수가 됩니다.

개념 6 곱셈표 만들어 보기

[16~19] 곱셈표를 보고 물음에 답하세요.

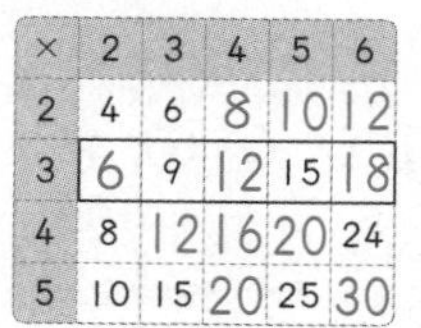

×	2	3	4	5	6
2	4	6	8	10	12
3	6	9	12	15	18
4	8	12	16	20	24
5	10	15	20	25	30

16 빈칸에 알맞은 수를 써넣어 곱셈표를 완성해 보세요.

17 5단 곱셈구구에서는 곱이 얼마씩 커질까요?

(5)

✤ 10, 15, 20, 25, 30으로 5씩 커집니다.

18 곱셈표에서 4×5와 곱이 같은 곱셈구구를 써 보세요.

(5×4)

✤ 4×5=20, 5×4=20

19 빨간색 선으로 둘러싸여 있는 수들은 어떤 규칙이 있을까요?

(예 **3씩 커지는 규칙이 있습니다.**)

✤ 6, 9, 12, 15, 18로 3씩 커지는 규칙이 있습니다.

3단계 교과서 실력 다지기

★ 곱의 크기 비교하기

1 곱의 크기를 비교하여 ○ 안에 >, =, <를 알맞게 써넣으세요.

6×3 (>) 2×7

개념 피드백
- 6단 곱셈구구에서 곱하는 수가 1씩 커지면 그 곱은 6씩 커집니다.
- 2단 곱셈구구에서 곱하는 수가 1씩 커지면 그 곱은 2씩 커집니다.

✤ 6×3=18, 2×7=14
➔ 18>14

1-1 곱이 더 작은 것에 △표 하세요.

3×8 　 9×3

(△) 　 (　　)

✤ 3×8=24, 9×3=27
➔ 24<27

1-2 곱이 가장 큰 것을 찾아 기호를 써 보세요.

㉠ 7×5 　 ㉡ 4×9 　 ㉢ 8×4

(㉡)

✤ ㉠ 7×5=35 　 ㉡ 4×9=36 　 ㉢ 8×4=32
➔ 36>35>32이므로 곱이 가장 큰 것은 ㉡입니다.

★ □ 안에 알맞은 수 구하기 (1)

2 □ 안에 알맞은 수를 써넣으세요.

9×[7]=63

개념 피드백
9×1=9, 9×2=18, 9×3=27 ······
9단 곱셈구구에서 곱하는 수가 1씩 커지면 그 곱은 9씩 커집니다.

✤ 9×□=63에서 9×7=63이므로 □=7입니다.

2-1 □ 안에 알맞은 수를 써넣으세요.

(1) 5×[4]=20 　 (2) [6]×7=42

✤ (1) 5×□=20에서 5×4=20이므로 □=4입니다.
(2) □×7=42에서 6×7=42이므로 □=6입니다.

2-2 ㉠과 ㉡에 알맞은 수의 합을 구해 보세요.

7×㉠=49
㉡×6=30

(12)

✤ • 7×㉠=49에서 7×7=49이므로 ㉠=7입니다.
• ㉡×6=30에서 5×6=30이므로 ㉡=5입니다.
➔ ㉠+㉡=7+5=12

3단계 교과서 실력 다지기

정답과 풀이 p.18

★ □ 안에 알맞은 수 구하기 (2)

3 □ 안에 들어갈 수 있는 수에 모두 ○표 하세요.

□×5 < 24

(⓪, ①, ②, ③, ④, 5, 6, 7, 8, 9)

개념 피드백
- 0과 어떤 수의 곱은 항상 0입니다.
- 곱셈에서 곱하는 두 수의 순서를 서로 바꾸어도 곱이 같습니다. ➔ □×5=5×□
- 5단 곱셈구구에서 곱하는 수가 1씩 커지면 그 곱은 5씩 커집니다.

✤ 5×0=0, 5×1=5, 5×2=10, 5×3=15,
5×4=20, 5×5=25입니다.
따라서 □ 안에 들어갈 수 있는 수는 0, 1, 2, 3, 4입니다.

3-1 0부터 9까지의 수 중 □ 안에 들어갈 수 있는 수를 모두 써 보세요.

7×□ < 20

(0, 1, 2)

✤ 7×0=0, 7×1=7, 7×2=14, 7×3=21입니다.
따라서 □ 안에 들어갈 수 있는 수는 0, 1, 2입니다.

3-2 0부터 9까지의 수 중 □ 안에 들어갈 수 있는 수는 모두 몇 개일까요?

35 > 9×□

(4개)

✤ 9×0=0, 9×1=9, 9×2=18,
9×3=27, 9×4=36입니다.
따라서 □ 안에 들어갈 수 있는 수는 0, 1, 2, 3으로
모두 4개입니다.

★ 수 카드로 곱셈식 만들기

4 수 카드를 한 번씩만 사용하여 □ 안에 알맞은 수를 써넣으세요.

1 　 2 　 7

3×[7]=[2][1]

개념 피드백
① 3과 1, 2, 7을 각각 곱해서 어떤 수가 나오는지 구해 봅니다.
② 곱셈식에 수 카드의 수가 한 번씩 들어가는지 알아봅니다.

✤ 3단 곱셈구구를 이용하여 수 카드의 수가 모두 들어가는 곱셈식을 만들면 3×7=21입니다.

4-1 수 카드 3장 중 2장을 골라 두 수의 곱을 계산하려고 합니다. 가장 큰 곱을 구해 보세요.

8 　 5 　 6

(48)

✤ 나올 수 있는 곱은 5×6=30, 6×5=30, 5×8=40,
8×5=40, 6×8=48, 8×6=48입니다.
따라서 가장 큰 곱은 48입니다.

4-2 수 카드 4장 중 2장을 골라 두 수의 곱을 계산하려고 합니다. 가장 큰 곱과 가장 작은 곱을 각각 구해 보세요.

4 　 2 　 7 　 0

가장 큰 곱 (28), 가장 작은 곱 (0)

✤ 수의 크기를 비교하면 0<2<4<7입니다.
• 가장 큰 곱: 7×4=28
• 가장 작은 곱: 0×2=0

교과서 실력 다지기

정답과 풀이 p.19

두 곱 사이의 수 구하기

5 □ 안에 들어갈 수 있는 수를 모두 써 보세요.

2×6 < □ < 4×4

① 2×6=12이고, 4×4=16입니다.

② 12보다 크고 16보다 작은 수는 13, 14, 15입니다.

답 13, 14, 15

개념 피드백 ① 주어진 두 곱셈식의 곱을 구합니다. ② 두 곱 사이에 있는 수를 모두 알아봅니다.

✤ 2×6=12, 4×4=16입니다.
따라서 12보다 크고 16보다 작은 수는 13, 14, 15입니다.

5-1 □ 안에 들어갈 수 있는 수를 모두 써 보세요.

3×7 < □ < 5×5

(22, 23, 24)

✤ 3×7=21, 5×5=25입니다.
따라서 21보다 크고 25보다 작은 수는 22, 23, 24입니다.

5-2 □ 안에 들어갈 수 있는 수는 모두 몇 개일까요?

3×8 < □ < 6×5

(5개)

✤ 3×8=24, 6×5=30입니다.
따라서 24보다 크고 30보다 작은 수는 25, 26, 27, 28, 29로 모두 5개입니다.

바르게 계산한 값 구하기

6 어떤 수에 4를 곱해야 할 것을 잘못하여 더했더니 10이 되었습니다. 바르게 계산한 값은 얼마인지 알아보세요.

① 어떤 수를 ●라 하면 잘못 계산한 식 ●+4=10에서 ●=6입니다.

② 어떤 수가 6이므로 바르게 계산한 값은 6×4=24입니다.

답 24

개념 피드백 어떤 수를 ●라 하고 식을 만들어서 어떤 수를 먼저 구하고, 바르게 계산한 값을 구합니다.

3주 교과

6-1 어떤 수에 7을 곱해야 할 것을 잘못하여 뺐더니 2가 되었습니다. 바르게 계산한 값은 얼마일까요?

(63)

✤ 어떤 수를 □라 하면 □−7=2이므로 □=9입니다.
따라서 바르게 계산하면 9×7=63입니다.

6-2 어떤 수에 5를 곱해야 할 것을 잘못하여 8을 곱했더니 24가 되었습니다. 어떤 수는 얼마일까요?

(3)

✤ 어떤 수를 □라 하면 □×8=24이므로 □=3입니다.

Test 교과서 서술형 연습

정답과 풀이 p.19

서술형 연습 1 영미는 9살입니다. 영미 어머니의 나이는 영미 나이의 4배보다 5살 많다고 합니다. 영미 어머니는 몇 살인지 구해 보세요.

구하려는 것, 주어진 것에 선을 그어 봅니다.

해결하기 영미 나이의 4배를 구하면 9×4=36입니다.
영미 나이의 4배보다 5만큼 더 큰 수는 36+5=41이므로
영미 어머니는 41살입니다.

답 구하기 41살

서술형 실전 2 진수는 8살입니다. 진수 할아버지의 연세는 진수 나이의 9배보다 6살 적다고 합니다. 진수 할아버지는 몇 살인지 구해 보세요.

주어진 것 / 주어진 것 / 구하려는 것

구하려는 것, 주어진 것에 선을 그어 봅니다.

해결하기 예 진수 나이의 9배를 구하면 8×9=72입니다.
진수 나이의 9배보다 6만큼 더 작은 수는 72−6=66이므로 진수 할아버지는 66살입니다.

답 구하기 66살

서술형 연습 3 동진이는 팔굽혀펴기를 하루에 7번씩 4일 동안 했고, 민수는 하루에 9번씩 3일 동안 했습니다. 동진이와 민수가 한 팔굽혀펴기는 모두 몇 번인지 구해 보세요.

구하려는 것, 주어진 것에 선을 그어 봅니다.

해결하기 동진이가 한 팔굽혀펴기는 7×4=28(번)이고,
민수가 한 팔굽혀펴기는 9×3=27(번)입니다.
따라서 동진이와 민수가 한 팔굽혀펴기는 모두
28+27=55(번)입니다.

답 구하기 55번

3주 교과

서술형 실전 4 운동장에 남학생이 4명씩 5줄로 서 있고, 여학생은 3명씩 8줄로 서 있습니다. 운동장에 서 있는 학생은 모두 몇 명인지 구해 보세요.

주어진 것 / 주어진 것 / 구하려는 것

구하려는 것, 주어진 것에 선을 그어 봅니다.

해결하기 예 운동장에 서 있는 남학생은 4×5=20(명)이고, 운동장에 서 있는 여학생은 3×8=24(명)입니다.
따라서 운동장에 서 있는 학생은 모두 20+24=44(명)입니다.

답 구하기 44명

80쪽 ~ 81쪽

82쪽 ~ 83쪽

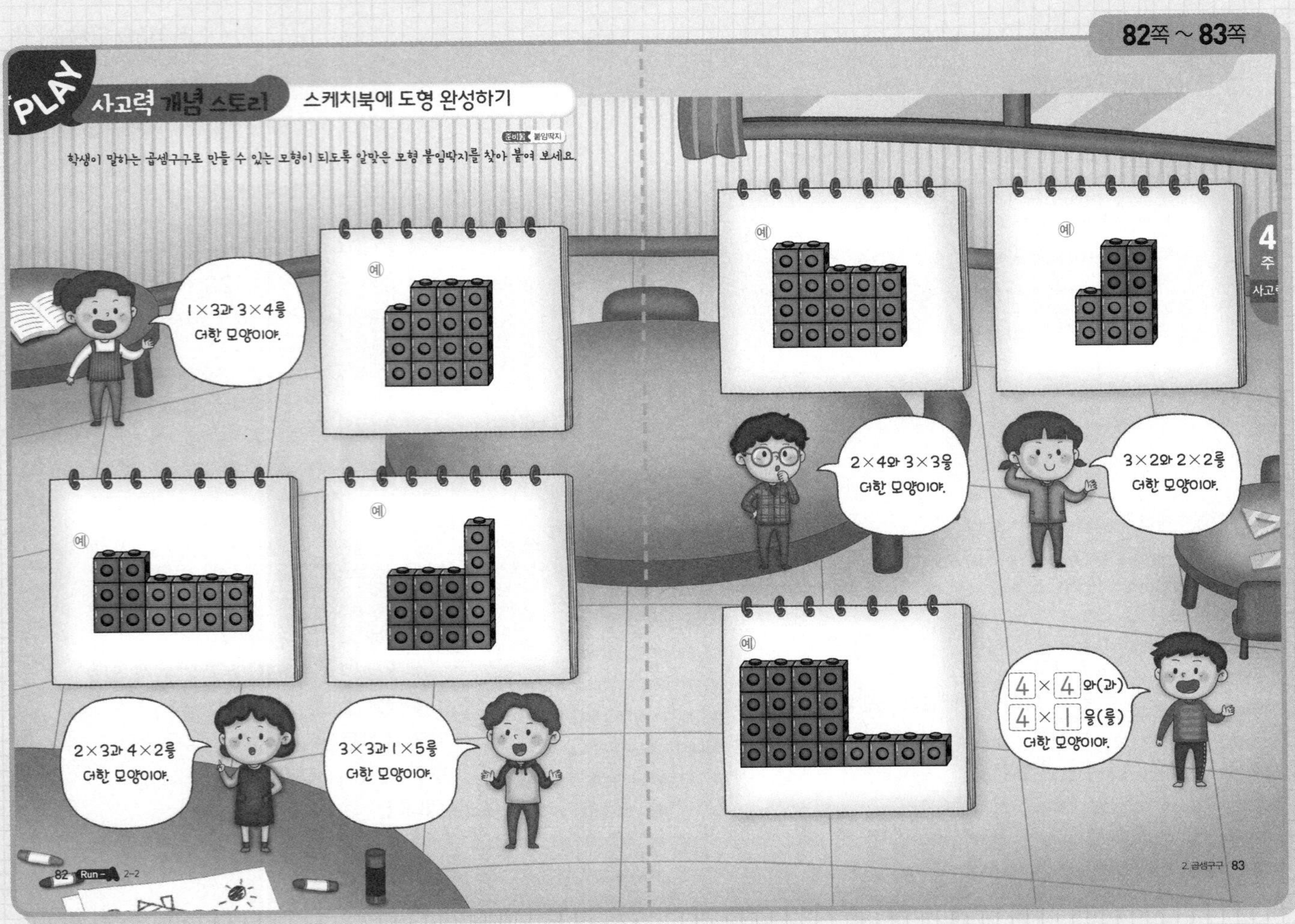

1 단계 교과 사고력 잡기

1 주사위를 10번 던져서 나온 눈의 횟수입니다. 나온 주사위 눈의 수의 전체 합을 구해 보세요.

2회	4회	1회	2회	0회	1회

❶ 주사위 눈의 수의 합을 구해 보세요.

× 2 = 2
× 4 = 8
× 1 = 3
× 2 = 8
× 0 = 0
× 1 = 6

✤ 눈의 수가 1인 경우: 1×2=2
눈의 수가 2인 경우: 2×4=8
눈의 수가 3인 경우: 3×1=3
눈의 수가 4인 경우: 4×2=8
눈의 수가 5인 경우: 5×0=0
눈의 수가 6인 경우: 6×1=6

❷ 눈의 수의 전체 합을 구해 보세요.

2 + 8 + 3 + 8 + 0 + 6 = 27

✤ 위 ❶에서 구한 눈의 수의 합을 모두 더합니다.

정답과 풀이 p.21

2 모형을 그림과 같이 쌓았습니다. 모형의 수를 곱셈구구를 이용하여 2가지 방법으로 구해 보세요.

❶

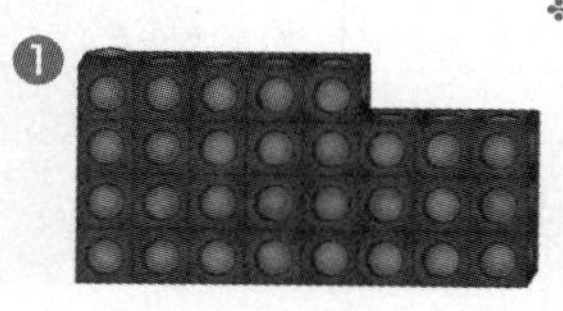

✤ 방법 1 쌓은 모형을 위아래로 나누어 전체 수를 구합니다.

방법 1
5×1=5
8×3=24
➜ 5+24=29

방법 2
5×4=20
3×3=9
➜ 20+9=29

방법 2 쌓은 모형을 왼쪽, 오른쪽으로 나누어 전체 수를 구합니다.

❷

✤ 방법 1 쌓은 모형을 위아래로 나누어 전체 수를 구합니다.

방법 1
3×2=6
7×3=21
➜ 6+21=27

방법 2
3×5=15
4×3=12
➜ 15+12=27

방법 2 쌓은 모형을 왼쪽, 오른쪽으로 나누어 전체 수를 구합니다.

1 단계 교과 사고력 잡기

정답과 풀이 p.21

3 영훈이와 민재는 과녁판에 화살을 7개씩 쏘아 얻은 점수가 높은 사람이 이기는 게임을 했습니다. 누가 이겼는지 알아보세요.

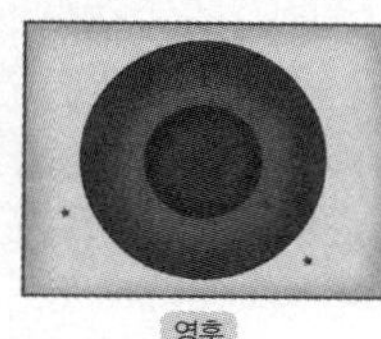

영훈

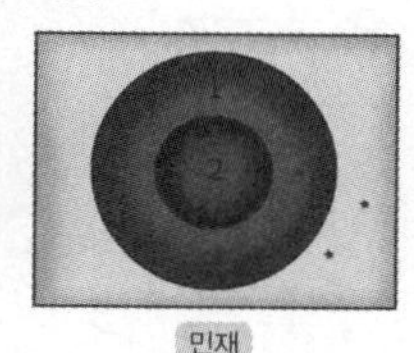

민재

❶ 영훈이가 얻은 점수는 몇 점일까요?

(6점)

✤ 2점 1번, 1점 4번, 0점 2번이므로 2×1=2(점), 1×4=4(점), 0×2=0(점)입니다.
➜ 2+4+0=6(점)

❷ 민재가 얻은 점수는 몇 점일까요?

(8점)

✤ 2점 3번, 1점 2번, 0점 2번이므로 2×3=6(점), 1×2=2(점), 0×2=0(점)입니다.
➜ 6+2+0=8(점)

❸ 누가 이겼을까요?

(민재)

✤ 6<8이므로 민재가 이겼습니다.

4 성냥개비를 이용하여 그림과 같은 삼각형 8개와 사각형 6개를 만들려고 합니다. 필요한 성냥개비는 모두 몇 개인지 구해 보세요. (단, 도형을 이어 붙여서 만들지 않습니다.)

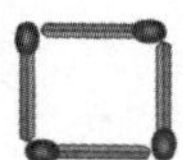

❶ 삼각형 8개를 만드는 데 필요한 성냥개비는 몇 개일까요?

(24개)

✤ 삼각형 1개를 만드는 데 필요한 성냥개비는 3개이므로 3×8=24(개)입니다.

❷ 사각형 6개를 만드는 데 필요한 성냥개비는 몇 개일까요?

(24개)

✤ 사각형 1개를 만드는 데 필요한 성냥개비는 4개이므로 4×6=24(개)입니다.

❸ 삼각형 8개와 사각형 6개를 만드는 데 필요한 성냥개비는 모두 몇 개일까요?

(48개)

✤ 24+24=48(개)

2단계 교과 사고력 확장

정답과 풀이 p.22

1 동물의 전체 다리 수가 같은 것끼리 선으로 이어 보세요.

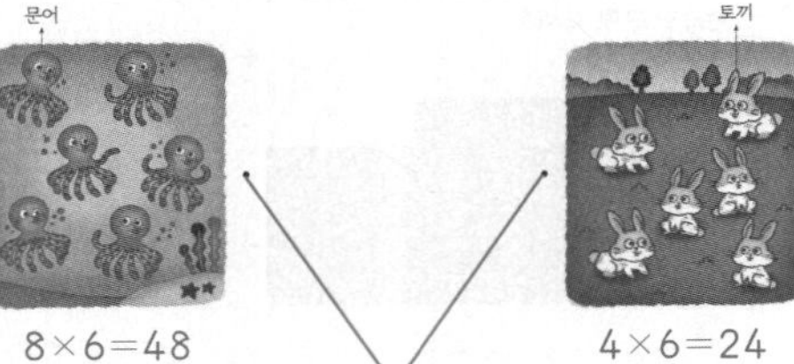

8×6=48 — 4×6=24

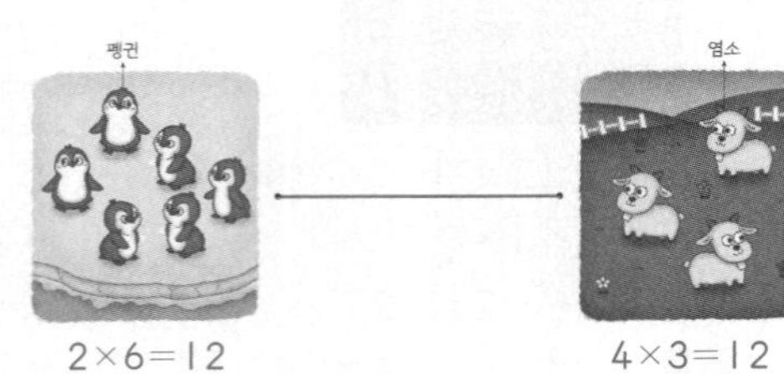

8×3=24 — 6×8=48

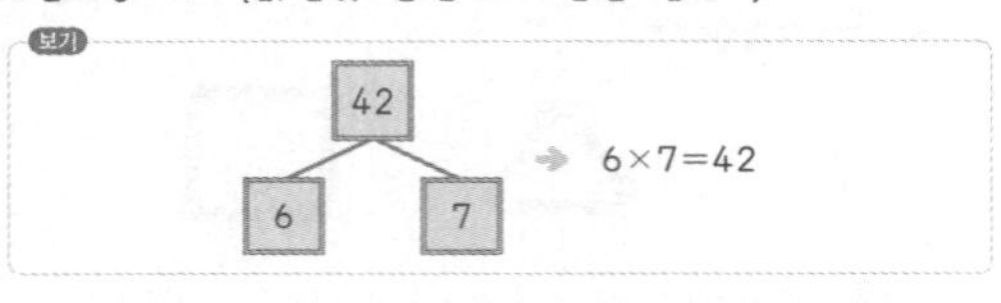

2×6=12 — 4×3=12

✤ 왼쪽 수와 오른쪽 수의 곱, 위쪽 수와 아래쪽 수의 곱을 가운데에 쓰는 규칙입니다.

2 보기 의 규칙을 보고 빈 곳에 알맞은 수를 써넣으세요.

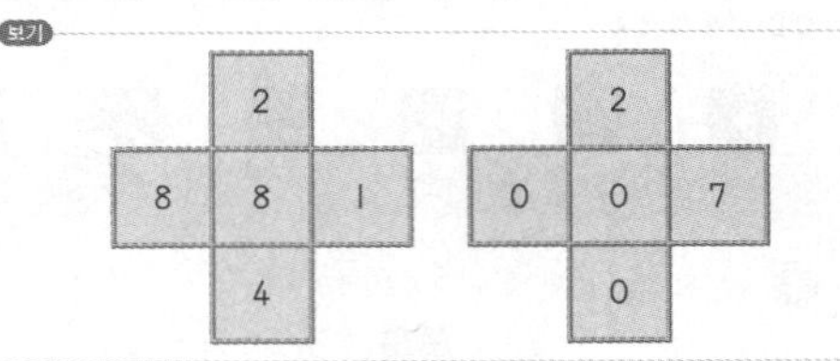

❶ 6 / 8 24 3 / 4 ❷ 4 / 2 16 8 / 4

✤ 아래 빈 곳: 6×□=24에서 □=4
오른쪽 빈 곳: 8×□=24에서 □=3

✤ 위 빈 곳: □×4=16에서 □=4
왼쪽 빈 곳: □×8=16에서 □=2

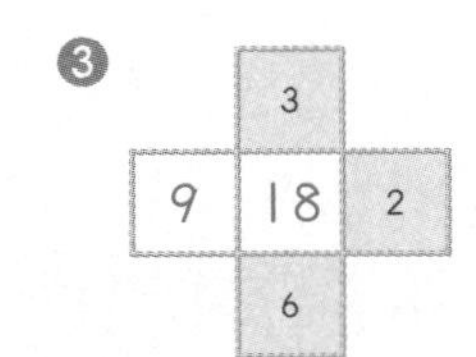

❸ 3 / 9 18 2 / 6 ❹ 9 / 6 36 6 / 4

✤ 가운데 빈 곳: 3×6=18
왼쪽 빈 곳: □×2=18에서 □=9

✤ 가운데 빈 곳: 6×6=36
아래 빈 곳: 9×□=36에서 □=4

2단계 교과 사고력 확장

정답과 풀이 p.22

3 보기 와 같이 아래에 있는 두 수의 곱이 위에 있는 수입니다. 빈 곳에 알맞은 수를 써넣으세요. (단, 빈 곳에는 한 자리 수만 들어갑니다.)

보기: 42 / 6 7 ➔ 6×7=42

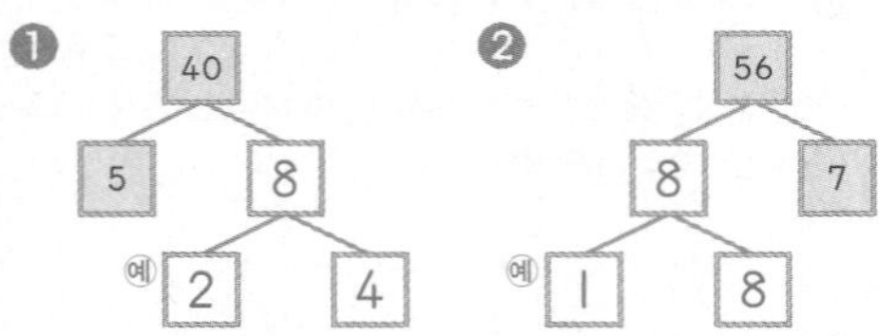

✤ 곱이 8이 되는 두 수는 1과 8, 2와 4, 4와 2, 8과 1이 있습니다.

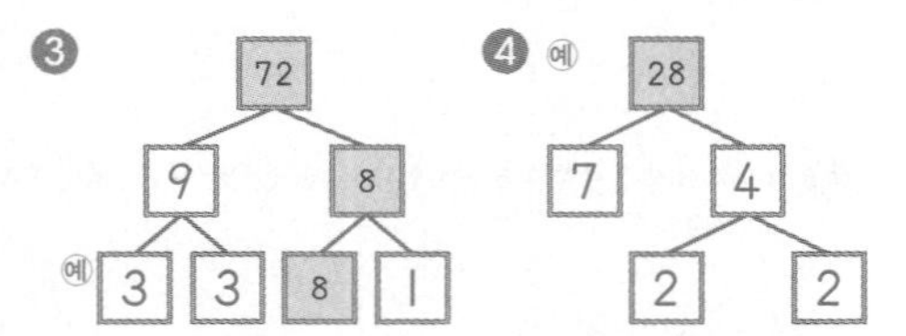

✤ 곱이 9가 되는 두 수는 1과 9, 3과 3, 9와 1이 있습니다.

✤ 곱이 28이 되는 두 수는 4와 7, 7과 4가 있습니다.
곱이 4가 되는 두 수는 1과 4, 2와 2, 4와 1이 있습니다.

4 왼쪽 곱과 오른쪽 곱의 합이 같도록 선으로 이어 보세요.

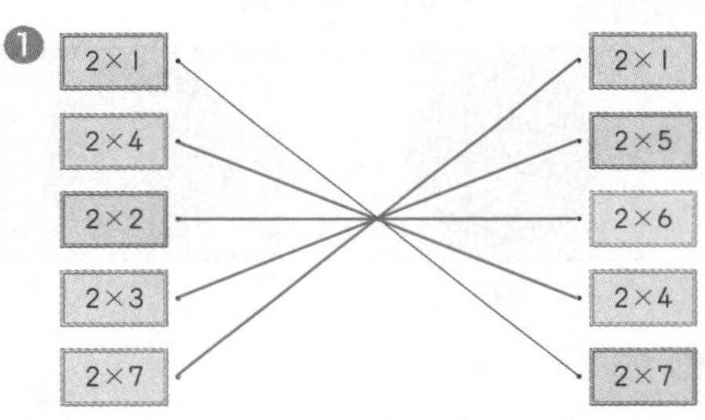

✤ 2×1은 2씩 1묶음이고, 2×7은 2씩 7묶음이므로 두 곱을 더하면 2씩 8묶음, 즉 2×8이 됩니다.
2×8은 2를 8번 더한 수와 같으므로 2에 곱해진 수들의 합이 8이 되도록 합니다.

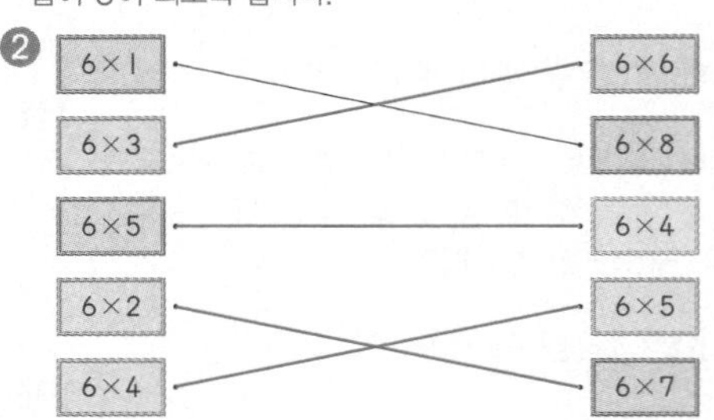

✤ 6×1은 6씩 1묶음이고, 6×8은 6씩 8묶음이므로 두 곱을 더하면 6씩 9묶음, 즉 6×9가 됩니다.
6×9는 6을 9번 더한 수와 같으므로 6에 곱해진 수들의 합이 9가 되도록 합니다.

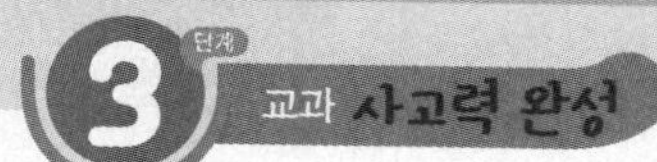

정답과 풀이 p.23

평가 영역 ☑개념 이해력 □개념 응용력 □창의력 ☑문제 해결력

1 왼쪽 막대의 길이는 9 cm입니다. 서랍장의 가로, 세로, 높이의 합을 구해 보세요.

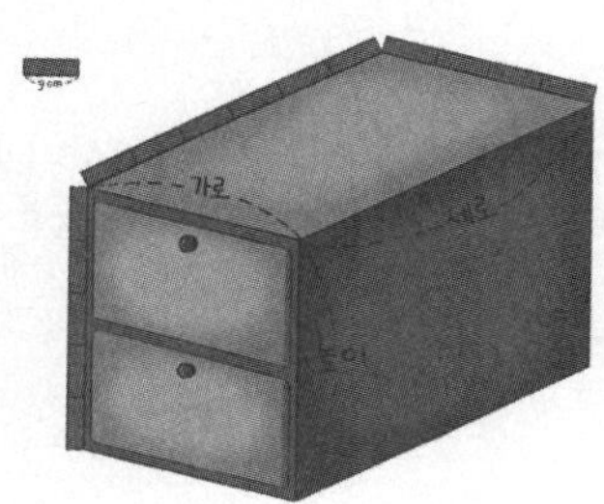

❶ 서랍장의 가로는 몇 cm일까요?

(36 cm)

✤ 서랍장의 가로는 막대 4개의 길이와 같으므로 9×4=36 (cm)입니다.

❷ 서랍장의 세로는 몇 cm일까요?

(54 cm)

✤ 서랍장의 세로는 막대 6개의 길이와 같으므로 9×6=54 (cm)입니다.

❸ 서랍장의 높이는 몇 cm일까요?

(45 cm)

✤ 서랍장의 높이는 막대 5개의 길이와 같으므로 9×5=45 (cm)입니다.

❹ 서랍장의 가로, 세로, 높이의 합은 몇 cm일까요?

(135 cm)

✤ (가로)+(세로)+(높이)=36+54+45=135 (cm)

평가 영역 □개념 이해력 ☑개념 응용력 ☑창의력 □문제 해결력

2 그림과 같이 면봉으로 같은 크기의 삼각형 4개로 이루어진 모양을 하나 만들었습니다. 이와 같은 모양을 몇 개 만들어서 같은 크기의 삼각형이 모두 12개가 되었을 때 사용한 면봉은 모두 몇 개인지 구해 보세요.

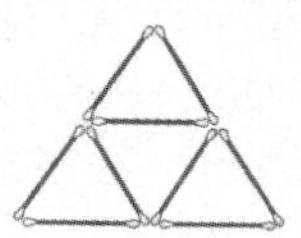

❶ 삼각형이 12개가 되려면 △ 모양을 몇 개 만들어야 할까요?

✤ 모양 하나에 삼각형이 4개이므로 같은 모양을 3개 만들어야 삼각형이 12개가 됩니다.

(3개)

❷ 삼각형이 12개가 되었을 때 사용한 면봉은 모두 몇 개일까요?

(27개)

✤ 면봉 9개로 삼각형 4개로 이루어진 모양을 하나 만들 수 있으므로 면봉은 모두 9×3=27(개) 사용했습니다.

평가 영역 □개념 이해력 ☑개념 응용력 ☑창의력 □문제 해결력

3 그림과 같이 면봉으로 같은 크기의 사각형 4개로 이루어진 모양을 하나 만들었습니다. 이와 같은 모양을 몇 개 만들어서 같은 크기의 사각형이 모두 12개가 되었을 때 사용한 면봉은 모두 몇 개인지 구해 보세요.

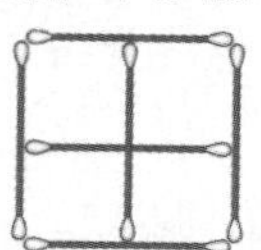

(18개)

✤ 모양 하나에 사각형이 4개이므로 같은 모양 3개를 만들어야 사각형이 12개가 됩니다.
면봉 6개로 사각형 4개로 이루어진 모양을 하나 만들 수 있으므로 면봉은 모두 6×3=18(개) 사용했습니다.

Test 종합평가

2. 곱셈구구

정답과 풀이 p.23

1 그림을 보고 알맞은 곱셈식으로 나타내어 보세요.

3×[5]=[15]

✤ 바나나가 한 송이에 3개씩 5송이이므로 3×5=15입니다.

2 □ 안에 알맞은 수를 써넣으세요.

(1) 4×7=[28] (2) 6×5=[30]

(3) 9×2=[18] (4) 8×8=[64]

3 곱셈식을 수직선에 나타내고 □ 안에 알맞은 수를 써넣으세요.

4×6=[24]

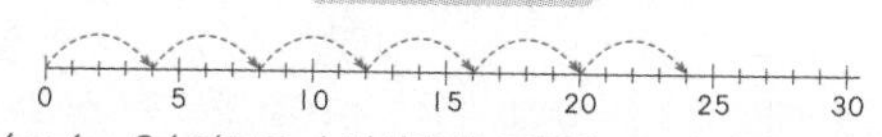

✤ 4×6=24이므로 수직선에서 오른쪽으로 4칸씩 6번 뛰어 세면 24가 됩니다.

4 6단 곱셈구구를 완성해 보세요.

6 × 1 = 6	6 × [6] = 36
6 × 2 = [12]	6 × 7 = [42]
6 × [3] = 18	6 × [8] = 48
6 × 4 = [24]	6 × 9 = [54]
6 × [5] = 30	

✤ 6단 곱셈구구의 곱은 6씩 커집니다.

5 빈칸에 알맞은 수를 써넣으세요.

[2] →(×1)→ [2] →(×9)→ [18]

✤ 2×1=2, 2×9=18

6 빈칸에 알맞은 수를 써넣으세요.

×		
9	㉠3	27
㉡8	4	㉢32
72	㉣12	

✤ ㉠ 9×□=27 → □=3 ㉡ 9×□=72 → □=8
㉢ 8×4=32 ㉣ 3×4=12

Test 종합평가 2. 곱셈구구

정답과 풀이 p.24

[7~8] 곱셈표를 보고 물음에 답하세요.

×	5	6	7	8	9
5	25	30	35	40	45
6	30	36	42	48	54
7	35	42	49	56	63
8	40	48	56	64	72

7 빈칸에 알맞은 수를 써넣어 곱셈표를 완성해 보세요.

8 곱셈표에서 8×6과 곱이 같은 곱셈구구를 써 보세요.

(6×8)

✤ 8×6=48이므로 곱셈표에서 곱이 같은 곱셈구구는 6×8=48입니다.

9 □ 안에 공통으로 알맞은 수는 어떤 수일까요?

9×□=9　□×3=3

(1)

✤ 9×1=9, 1×3=3이므로 □ 안에 알맞은 수는 1입니다.

10 곱의 크기를 비교하여 ○ 안에 >, =, <를 알맞게 써넣으세요.

7×7 ⃝> 8×5

✤ 7×7=49, 8×5=40
➔ 49>40

11 곱이 큰 것부터 순서대로 기호를 써 보세요.

㉠ 7×0　㉡ 2×6
㉢ 4×4　㉣ 8×1

(㉢, ㉡, ㉣, ㉠)

✤ ㉠ 7×0=0　㉡ 2×6=12
㉢ 4×4=16　㉣ 8×1=8
➔ 16>12>8>0이므로 ㉢, ㉡, ㉣, ㉠ 순서로 큽니다.

12 ㉠과 ㉡에 알맞은 수의 합을 구해 보세요.

• 8×㉠=56
• ㉡×6=36

(13)

✤ • 8×㉠=56 → ㉠=7　• ㉡×6=36 → ㉡=6
➔ 7+6=13

13 운동장에 한 모둠에 8명씩 6모둠이 서 있습니다. 운동장에 서 있는 학생은 모두 몇 명일까요?

(48명)

✤ 한 모둠에 8명씩 6모둠이 서 있으므로 모두 8×6=48(명)입니다.

14 수 카드 3장 중 2장을 골라 한 번씩 사용하여 두 수의 곱을 구하려고 합니다. 가장 큰 곱을 구해 보세요.

7 5 3

(35)

✤ 곱이 가장 큰 곱셈식을 만들려면 가장 큰 수와 둘째로 큰 수의 곱을 구합니다.
➔ 7×5=35

Test 종합평가 2. 곱셈구구

정답과 풀이 p.24

15 아래에 있는 두 수의 곱이 위에 있는 수입니다. 빈 곳에 알맞은 수를 써넣으세요.

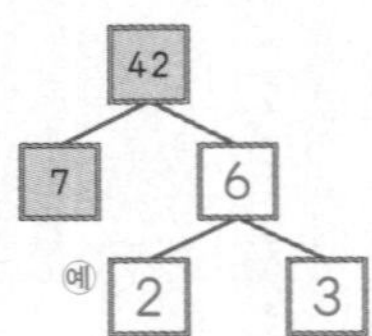

✤ 곱이 6이 되는 두 수는 1과 6, 2와 3, 3과 2, 6과 1이 있습니다.

16 연필 한 자루의 길이는 5 cm입니다. 수첩의 긴 쪽의 길이는 짧은 쪽의 길이보다 몇 cm 더 길까요?

(15 cm)

✤ 수첩의 긴 쪽의 길이는 연필 5자루의 길이와 같으므로 5×5=25 (cm).
수첩의 짧은 쪽의 길이는 연필 2자루의 길이와 같으므로 5×2=10 (cm)입니다.
➔ 25−10=15 (cm)

17 혜미는 9살입니다. 혜미 아버지의 나이는 혜미 나이의 6배보다 7살 적습니다. 혜미 아버지는 몇 살일까요?

(47살)

✤ 9의 6배는 9×6=54이고 54보다 7 작은 수는 54−7=47입니다.
따라서 혜미 아버지는 47살입니다.

특강 창의·융합 사고력

정답과 풀이 p.24

1 7단 곱셈구구의 값을 찾아 선으로 이어 보세요.

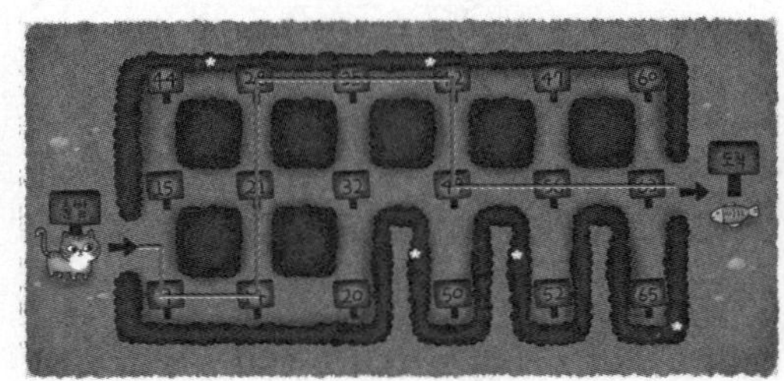

2 세형이와 승기는 수 카드를 각각 8번씩 뽑아서 카드에 적힌 수만큼 점수를 얻는 놀이를 하였습니다. 누가 몇 점 더 높은지 구해 보세요.

카드에 적힌 수	0	1	2	3
뽑은 횟수(번)	2	1	3	2

카드에 적힌 수	0	1	2	3
뽑은 횟수(번)	1	3	3	1

(세형), (1점)

✤ 세형: 0×2=0(점), 1×1=1(점), 2×3=6(점), 3×2=6(점) → 0+1+6+6=13(점)
승기: 0×1=0(점), 1×3=3(점), 2×3=6(점), 3×1=3(점) → 0+3+6+3=12(점)
➔ 13−12=1(점)

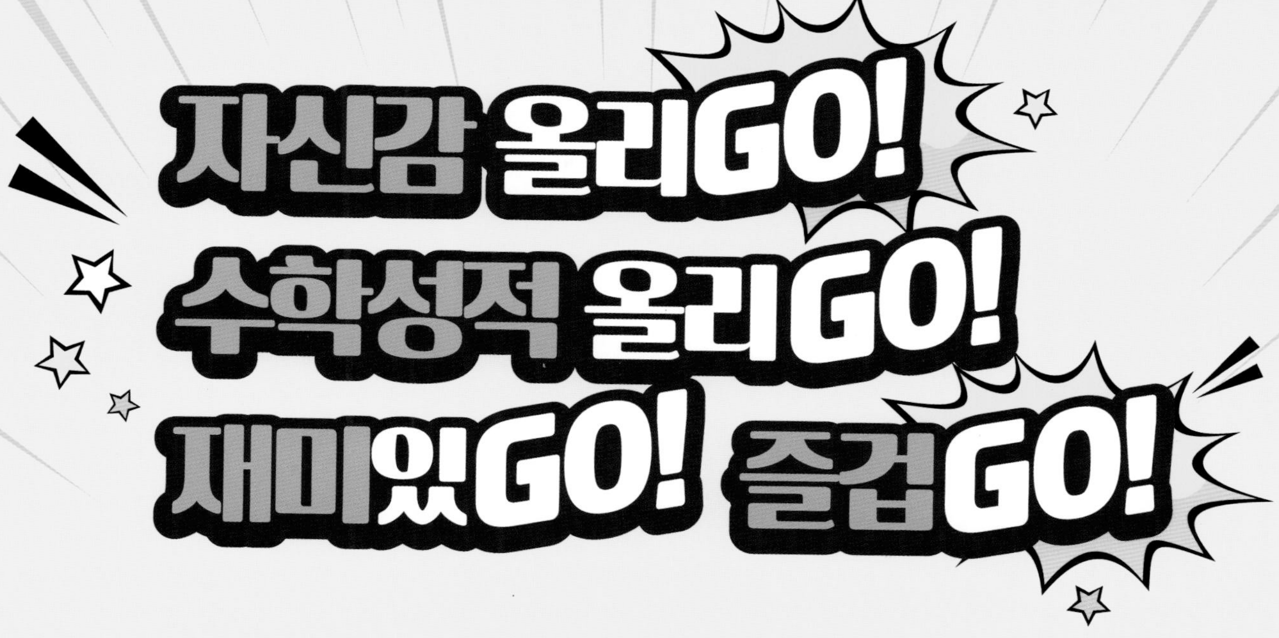

우리는 〈교과서+사고력〉으로 수학을 신나게 공부해요!

Go! 매쓰

자세한 문의는 ◯◯◯-◯◯◯◯-◯◯◯◯

수학 2-2

정답과 풀이

유형 사고력

교과서 사고력

교과서 개념